AULA 3

AULA 3 B1.1

CURSO DE ESPAÑOL NUEVA EDICIÓN

Autores: Jaime Corpas, Agustín Garmendia, Carmen Soriano

Coordinación pedagógica: Neus Sans

Coordinación editorial y redacción: Núria Murillo, Paco Riera

Diseño: Besada+Cukar

Maquetación: Besada+Cukar, Guillermo Bejarano

Corrección: Alba Vilches

Ilustraciones: Alejandro Milà **excepto:** Roger Zanni (págs.12, 29, 31, 41, 52, 65, 89, 100, 114, 135 y 152), Núria Frago (págs. 68, 69 y 151), Albert Ramón Puig (págs. 82 y 83), Ernesto Rodríguez (págs. 170 y 171), Paco Riera (págs. 38 y 79)

Fotografías: Sandro Bedini (págs. 10 (Laura), 11, 15, 28, 34 (fotos 2 y 4), 35 (foto 5), 70 y 71) y Cristian Castellana (págs. 10 (Fran), 36, 73 (fotos A y D), 76 y 95) **excepto: cubierta** J Marshall/Tribaleye Images/Alamy/ACI, **unidad 1** pág. 11 Difusión (Silvia), pág. 13 franckreporter/Istockphoto, pág. 16 Ingo Bartussek/Fotolia, pág. 18 Diego Vito Cervo/Dreamstime, pág. 19 Phillip Gray/Dreamstime, Lourdes Muñiz, Wonderlane/Flickr, pág. 20 www.elperiodico.com, www.artespain.com, www.elpais.com, www. sansebastiangastronomika.com, pág. 21 www.artshopper.es, todoculturaagencia.blogspot.com, **unidad 2** pág. 22 Archivo histórico provincial de Lugo, www.twitter.com, blogs. revistavanityfair.es, diasdeviejocolor.blogspot.com.es, www.seatfansclub.com, www.lnb.lv, sqsmaravillosa.wordpress.com, pág. 23 www.autogush.com, www.milyuncatalogos. com, www.diariofemenino.com, http://motor.es.msn.com, enateneo.blogspot.com, www.wikipedia.org, pág. 25 blog.miramarcruceros.com, pág. 27 Agustín Garmendia, pág. 32 caminoasantiago.blogspot.be, www.wikipedia.org , Bjeayes/Dreamstime, www.wikipedia.org , Wikimedia Commons , elsevillon.blogspot.com, pág. 33 www.archive.org, www. eugeniodelacruz.com, **unidad 3** pág. 34 philpell/Istockphoto, anthill/Photaki, pág. 35 georgeclerk/Istockphoto, terres.madteam.net, hohl/Istockphoto philpell/Istockphoto, pág. 37 goodluz/123RF, JackF/Istockphoto, pepmiba/Istockphoto, pág. 39 Kota, pág. 40 interplanetary/Fotolia, jcarillet/Istockphoto, UygarGeographic/Istockphoto, kycstudio/Istockphoto, franckreporter/Istockphoto, Paco Romero/Istockphoto, pág. 42 www.mybalcony.com, www.elalmanaque.com, pág. 43 Martin Barraud/Stone/Getty Images, pág. 44 www.sanfermin. com, www.rtve.es, EdStock/Istockphoto, pág. 45 sanfermin.pamplona.es, **unidad 4** pág. 46-47 Ministerio de Sanidad, Servicios Sociales e Igualdad, pág. 48 Wavebreak Media/ Photaki, Andres Rodriguez/Fotolia, Xavier Gallego Morel/Fotlia, pressmaster/Fotolia, pág. 50 Alberto Rojo Sampedro/Flickr, pág. 51 aroas/123RF, pág. 52 TheEstrellaDamm/Youtube, ConoceCocaCola/Youtube, pág. 55 Médicos Sin Fronteras, pág. 56 Hartemink/Dreamstime, gudella/123RF, Colón/Pilar Rodríguez/Youtube, Cola Cao/opataxulao/Youtube, La Casera/ Youtube, El almendro/Pau Torres/Youtube, pág. 57 Isabel/anguso918/Youtube, Tenn/Eugeni Cucurull/Youtube, **unidad 5** pág. 58 Richard Carey/Dreamstime, pág. 60 Horacio Villalobos/ Corbis (Argentina), noticias.mexico.lainformacion.com, myspanishinspain.wordpress.com, pág. 61 www.plaza21.com, Wikimedia Commons, pág. 62 www.dailynewsegypt.com, pág. 66 L. F. Rabanedo de la Fuente/Photaki, Iván Serrano/Photaki, pág. 67 Vladyslav Makarov/123rf, **unidad 6** pág. 70 Okea/Fotolia (ordenador), pág. 72 mirabella/Fotolia, www.medievalarchives. com, Caziopeia/Istockphoto, Aleksandr Lukin/Dreamstime, Difusión, Lars Christenen/123RF, pág. 73 William Perugini/123RF, Ingrampublishing/Photaki, Alexander Oshvintsev /Dreamstime, Difusión, pág. 79 Andres Rodriguez/Dreamstime, pág. 80 manaemedia/123RF, pág. 81 radub85/123RF, **unidad 7** pág. 84 www.lahora.com.ec, www.ultimahora.es, www.elpais.com. uy, pág. 85 www.argentino.com.ar, pág. 86 moodboard/123RF, crstrbrt/123RF, majcot/123RF, Galina Peshkova/123RF, Rancz Andrei/123RF, Syda Productions/123RF, pág. 90 pepmiba/ Fotolia, pág. 91 joserpizarro/Fotolia, pág. 92 www.cartelespeliculas.com, www.montreuxjazz.com/, **unidad 8** pág. 95 L_amica/Fotolia (ipad), pág. 96 www.cartelespeliculas.com, pág. 97 www.huffingtonpost.es , www.fanisetas.com, www.chicadelatele.com, www.ligafutbol.net, www.rtve.es, www.todotele.com, www.lasexta.com, www.telecinco.es, pág. 98 www.planetadelibros.com, pág. 99 www.cartelespeliculas.com, pág. 100 www.rtve.es, pág. 103 ensup/123RF, pág. 104 Quino/Editorial Lumen, melosine1302/Fotolia **MÁS EJERCICIOS** pág. 110 caracterdesign/Istockphoto, pág. 111 Ingo Bartussek/Fotolia, pág. 116 markyharky/Flickr, pág. 121 Tan Wei Ming/Dreamstime, Aprescindere/Dreamstime, Netfalls/Dreamstime, Ingrampublishing/Photaki, Pathastings/Dreamstime, Karramba Production/Fotolia, pág. 123 franckreporter/Istockphoto, Kadettmann/Dreamstime, pág. 124 Asociación de san Jorge (Alcoy), pág. 127 www.cazarecetas.com, pág. 129 www.agente-k.com, pág. 132 www.bedincuba.com, commons.wikimedia.org, paulitariveros.wix.com, getlirycs.blogspot.com, Tupungato/Dreamstime.com, AFP PHOTO/www.cubadebate.cu/ISMAEL FRANCISCO, pág. 141 www.vanguardia.com.mx, pág. 146 Korisei/Dreamstime, dubova/Fotolia, Huating/ Dreamstime, Sergey Nivens/Fotolia, Ingrampublishing/Photaki, ewastudio/123RF, Ysbrand Cosijn/123RF, www.diarioorc.com, Pablo Blanes/Photaki, pág. 148 nullplus/Istockphoto, pág. 152 www.megustaleer.com; **MI AGENDA EN ESPAÑA** pág. 169 lunamarina/Fotolia, Cagiao/Fotolia, paul_brighton/Fotolia, Fulcanelli/Fotolia, pág. 172 Robwilson397/Dreamstime, pág. 173 Andrew E. Larsen/Flickr, www.fotomadrid.com

Locuciones: Moritz Alber, Carlota Alegre, Mireia Aliart, Antonio Béjar, Celina Bordino, Ginebra Caballero, Iñaki Calvo, Cristina Carrasco, Alícia Carreras, Mª Isabel Cruz, Paulina Fariza, Pablo Garrido, Olatz Larrea, Mila Lozano, Joel León, Eva Llorens, Luis Luján, Lynne Martí, Caro Miranda, Carmen Mora, Edith Moreno, Lourdes Muñiz, Núria Murillo, Jorge Peña, Javier Príncep, Paco Riera, Mamen Rivera, Leila Salem, Laia Sant, Juan José Surace, Víctor Torres, David Velasco

Asesores de la nueva edición:

Agnès Berja (BCN Languages), José Luis Cavanillas (CLIC Sevilla), Yolanda Domínguez (Universidad de Málaga), Carmen Soriano (International House Barcelona), Beatriz Arribas (Instituto Cervantes de Varsovia), Gemma Linares (Centro de Lenguas de la Universidad de Tubinga), Silvia López y Juan Francisco Urbán (Instituto Cervantes de Orán), Rosana Paz (Universidad de Santiago de Compostela), Asunción Pleite (Estudio Sampere), Gabriel Bravo

Agradecimientos: Pablo Garrido, Sagar Fornies, Oscar García Ortega, Tere Liencres, Lourdes Muñiz, Sergio Troitiño y la Fundación de Ayuda contra la Drogadicción

© Los autores y Difusión, S.L. Barcelona 2013
ISBN: 978-84-15640-08-0
Depósito legal: B 27168-2013
Impreso en España por Novoprint
Reimpresión: mayo 2017

difusión
Centro de
Investigación y
Publicaciones
de Idiomas, S. L.

C/ Trafalgar, 10, entlo. 1ª
08010 Barcelona
Tel. (+34) 93 268 03 00
Fax (+34) 93 310 33 40
editorial@difusion.com

www.difusion.com

AULA 3

NUEVA EDICIÓN

Jaime Corpas
Agustín Garmendia
Carmen Soriano

Coordinación pedagógica
Neus Sans

¡BIENVENIDOS A LA AVENTURA DE APRENDER ESPAÑOL EN ESPAÑA!

DURANTE LAS PRÓXIMAS SEMANAS VAS A...

aprender muchas palabras nuevas, vas a **leer** textos interesantes, **escuchar** conversaciones, **hacer** actividades, **ver** vídeos...

PERO, ADEMÁS, VAS A VIVIR UNA AVENTURA PERSONAL:

vas a **conocer** a nuevos compañeros y a profesores, vas a **vivir** en un pueblo o una ciudad española, vas a **visitar** museos, **hacer** excursiones, **ir** a la playa, **comer** en restaurantes o en casas de españoles, **ver** la tele, **escuchar** la radio, **pasear**...

> Y TODO ESTO... ¡EN ESPAÑOL!

> ¡APROVECHA PARA HABLAR, LEER, ESCUCHAR Y VIVIR EN ESPAÑOL!

ENGLISH

WELCOME TO THE ADVENTURE OF LEARNING SPANISH IN SPAIN! Over the next few weeks, you are going to learn many new words, read fascinating texts, listen to conversations, take part in activities, watch videos... and all this in Spanish. Yet you are also going on a personal adventure: you are going to meet new classmates and teachers, live in a Spanish town or city, visit museums, take trips, go to the beach, eat at restaurants or local homes, watch the television, listen to the radio, take walks... Use this time to speak, read, listen and live in Spanish! **AULA: YOU ARE THE STAR** Aula Nueva Edición is your manual. Yet what makes it a book specially designed for you? Because it understands that you are in Spain and nowhere else. Because it takes your needs into consideration: you will learn to speak about your likes and dislikes, your life, your world... and all this in Spanish! Because it will help you communicate in Spanish right from the start. Because it will help you better understand the texts, discover grammar and lexicon, find the answers to your questions and build up your knowledge of Spanish.

DEUTSCH

WILLKOMMEN BEI DEM ABENTEUER SPANISCHLERNEN IN SPANIEN! Während der nächsten Wochen werden Sie viele neue Wörter lernen, interessante Texte lesen, Gespräche hören, unterschiedliche Tätigkeiten unternehmen, sich Videos ansehen... und all das auf Spanisch. Sie werden zusätzlich noch ein anderes, ganz persönliches Abenteuer erleben: Sie werden neue Mitschüler kennenlernen, in einem spanischen Ort leben, Museen besichtigen, Ausflüge machen, an den Strand gehen, in Restaurants oder bei Spaniern zu Hause essen, fernsehen, Radio hören, spazieren gehen... Nutzen Sie diese Gelegenheiten, um Spanisch zu sprechen, lesen, hören und zu (er)leben! **AULA: SIE SIND DER PROTAGONIST** Aula Neue Ausgabe ist Ihr Kursbuch, aber: woran erkennt man, dass es speziell für Sie konzipiert wurde? Weil es für den Lerner in Spanien gedacht ist. Weil es Ihre ganz besonderen Bedürfnisse berücksichtigt: Sie lernen, über Ihre eigene Vorlieben, Ihr Leben, Ihre Welt zu sprechen – und zwar auf Spanisch! Weil es Ihnen in den ersten Tagen im neuen Land unter die Arme greift und Ihnen Kommunikationshilfen bietet. Weil es Sie dabei unterstützt, Texte besser zu verstehen, Grammatik und Wortschatz zu entdecken, Antworten auf Ihre Fragen zu finden und Ihre Spanischkenntnisse sinnvoll aufzubauen.

ITALIANO

BENVENUTI NELL'AVVENTURA DELL'APPRENDIMENTO DELLO SPAGNOLO IN SPAGNA! Nelle prossime settimane imparerai molte parole nuove, leggerai testi interessanti, ascolterai conversazioni, svolgerai attività, vedrai video... e tutto questo, in spagnolo. Ma vivrai anche un'avventura personale: conoscerai nuovi compagni e professori, vivrai in un paese o una città spagnola, visiterai musei, farai gite, andrai al mare, mangerai in ristoranti o in casa di spagnoli, guarderai la televisione, ascolterai la radio, farai passeggiate... Approfittane per parlare, leggere, ascoltare e vivere in spagnolo! **AULA: IL PROTAGONISTA SEI TU** Aula Nueva Edición è il tuo manuale, ma... perché è un libro appositamente pensato per te? Perché prende in considerazione il fatto che sei in Spagna e non in un altro luogo. Perché prende in considerazione le tue esigenze: imparerai a parlare dei tuoi gusti, della tua vita, del tuo mondo... e tutto questo, in spagnolo! Perché ti aiuterà a comunicare in spagnolo fin dai primi giorni. Perché ti aiuterà a capire meglio i testi, a scoprire la grammatica e il lessico, a trovare le risposte alle tue domande e a costruire la tua conoscenza dello spagnolo.

FRANÇAIS

BIENVENUS À CETTE AVENTURE : APPRENDRE L'ESPAGNOL EN ESPAGNE ! Au cours des prochaines semaines, vous allez apprendre des mots nouveaux, vous allez lire des textes intéressants, écouter des conversations, faire des activités, voir des vidéos... et tout ça, en espagnol. De plus, vous allez vivre une aventure personnelle : vous allez faire de nouvelles connaissances et connaître des professeurs, vous allez vivre dans un village ou une ville espagnole, vous allez visiter des musées, faire des randonnées, aller à la plage, manger au restaurant ou chez des Espagnols, regarder la télévision, écouter la radio, vous promener...Profitez-en pour parler, lire, écouter et vivre en espagnol ! **AULA : VOUS ÊTES LE PROTAGONISTE** Aula Nueva edición, c'est votre livre d'apprentissage, mais... Pourquoi est-ce un livre tout spécialement conçu pour vous ? Parce qu'il tient compte que vous êtes en Espagne et nulle part ailleurs. Parce qu'il tient compte de vos besoins : vous allez apprendre à parler de ce qui vous plaît, de votre vie, de votre monde... et tout ça, en espagnol ! Parce qu'il va vous aider à communiquer en espagnol dès le début. Parce qu'il va vous aider à mieux comprendre les textes, à découvrir la grammaire et le vocabulaire, à trouver les réponses à vos questions et à construire votre connaissance de l'espagnol.

AULA:
TÚ ERES EL PROTAGONISTA

Aula Nueva edición es tu manual, pero… ¿por qué es un libro especialmente pensado para ti? Porque tiene en cuenta que **estás en España** y no en otro lugar. Porque tiene en cuenta **tus necesidades**: vas a aprender a hablar de **tus gustos**, de **tu vida**, de **tu mundo**… ¡y todo eso en español! Porque te va a ayudar a **comunicarte en español** desde los primeros días. Porque te va ayudar a **entender mejor los textos**, a **descubrir la gramática y el léxico**, a encontrar las respuestas a tus preguntas y a **construir tu conocimiento** del español.

PORTUGUÊS

BEM VINDOS À AVENTURA DE APRENDER ESPANHOL NA ESPANHA! Durante as próximas semanas você irá aprender muitas palavras novas, irá ler textos interessantes, escutar conversações, realizar atividades, ver vídeos… e tudo isso, em espanhol! Mas, além disso, irá viver uma aventura pessoal: irá conhecer novos companheiros e professores, irá viver em um povoado ou uma cidade espanhola, irá visitar museus, fazer excursões, ir à praia, comer em restaurantes ou em casas de espanhóis, ver televisão, escutar rádio, passear… Aproveite para falar, ler, escutar e viver em espanhol! **AULA: VOCÊ É O PROTAGONISTA** Aula Nueva edición é seu manual, mas… por que é um livro especialmente pensado para você? Porque leva em consideração que você está na Espanha e não em outro lugar. Porque considera suas necessidades: você irá aprender a falar de seus gostos, sua vida, seu mundo…! E tudo isso em espanhol! Porque irá ajudar você a se comunicar em espanhol desde os primeiros dias. Porque te ajudará a entender melhor os textos, a descobrir a gramática e o léxico, a encontrar as respostas para suas perguntas e a construir seu conhecimento do espanhol.

日本の

皆さんスペインへようこそ、そしてスペイン語を学ぶ冒険へようこそ！！ これからの数週間、新しい言葉を覚えていくことになります。大変おもしろいスペイン語の原文などを読んでいきます。彼らのはなす会話を聞き、いろいろな活動を行い、ビデオも全てスペイン語の原文です。これらの学習以外に、この期間はあなな自身にとっての貴重な経験になることでしょう。新しいクラスメートや先生を知ること、スペインの村や町に住むこと、また美術館などを訪れること、そして遠足などにも出かけること、すべてが貴重な経験となることでしょう。そして海へ行ったり、レストランやスペイン人の家庭で食事をしたり、テレビを見たり、ラジオを聞いたり、散歩などをすること、大きな経験です。スペイン語で話したり、聞いたりすることを有効に活用しましょう！ AULAでは、あなたが主人公です。AULA NUEVAは、あなたが外国語を学ぶためのマニュアルになります。何故あなたに適切な本かといえば、あなたがスペインにいることを前提にしているからです。他国にいることでの必要性を考慮しています。スペイン語で自分の趣味を語れるようになり、そして自分の人生について語れるようになり、同時に自分の世界について語れるようになります。はじめからスペイン語でコミュニケーションできるようになります。文章をよりよく理解出来るようにヘルプします。文法や言葉をより簡単に理解する事が出来るでしょう。そして、疑問に思った事などに対して、回答を見つけることが出来、スペイン語に対しての知識を増やすことが可能になります。

РУССКИЙ

ДОБРО ПОЖАЛОВАТЬ, СЕЙЧАС НАЧНЕТСЯ ТВОЕ ПРИКЛЮЧЕНИЕ, ТЫ БУДЕШЬ УЧИТЬ ИСПАНСКИЙ В ИСПАНИИ! В ближайшие недели ты выучишь много новых слов, будешь читать интересные тексты, слушать диалоги, выполнять разные задания, смотреть видео… и все это по-испански. Но еще это будет твое личное приключение: ты познакомишься с другими студентами и преподавателями, поживешь в испанском городе, будешь ходить в музеи и на экскурсии, отдыхать на пляже, есть в ресторанах или дома у испанцев, смотреть телевизор, слушать радио, гулять… Пользуйся возможностью говорить, читать, слушать и жить по-испански! AULA: ТЫ - ГЛАВНОЕ ДЕЙСТВУЮЩЕЕ ЛИЦО Aula Nueva edición - это твой учебник… но почему это учебник именно для тебя? Потому что он учитывает, что ты находишься в Испании, а не в другом месте. Потому что в нем есть то, что нужно именно тебе: ты научишься говорить о том, что тебе нравится, о своей жизни, о своем мире… и все это по-испански! Потому что он поможет тебе общаться по-испански с первого дня. Потому что он поможет тебе лучше понимать тексты, познакомиться с грамматикой и лексикой, найти ответы на твои вопросы и выучить испанский язык.

中国的

欢迎大家来到学习西班牙语的冒险殿堂！ 在未来几周的时间里。你会学到许多新词，也会读到一些有趣的文章，聆听对话，做活动，观看视频等…所有这些活动都是以西班牙语来进行。但是除此之外，你还会开启一个生活历险记：你会遇到新的同学和老师，你将生活在西班牙的小村小镇或是城里，你也会有机会参观博物馆，郊游，到海边走走，在餐馆吃饭或是拜访西班牙朋友的家里，看电视，听收音机，散步等…你将借着这些机会在西班牙生活，练习说西班牙语，阅读，以及聆听西班牙语！ 课堂：你是主角 新版的¨课堂¨一书是你语言学习的实用手册。然而，为什么我们会说这是一本为你量身定制的语言手册呢？因为你现在正在西班牙，而不是别的地方。还有这本书考虑到你的需求：你将会学习到如何表达你的嗜好，你的生活，你周遭的一切等等…所有这些活动和内容都是以西班牙语表达！因为我们会帮助你从一开始上课的前几天就学会以西班牙语来对外沟通。 因为只有这样才会帮助你更好地理解课文，发现语法和词汇的世界，寻找问题的答案，并借以逐步建立自己的西班牙语知识。

YO EN ESPAÑA

MI DIARIO

Escribe cómo ha sido
tu llegada a España.

MIS DATOS EN ESPAÑA

Mi dirección: ....

Mi escuela

Nombre: ....

Dirección: ....

Teléfono: .... Página web: ....

Correo electrónico ....

Mi clase

Nombre/s de mi/s profesor/es: ....

Mi horario:

	LUNES	MARTES	MIÉRCOLES	JUEVES	VIERNES	SÁBADO	DOMINGO
MAÑANA							
MEDIODÍA							
TARDE							

MIS COMPAÑEROS Y MIS AMIGOS EN ESPAÑA

Anota la información de tus compañeros de clase y de otras personas que conozcas en España.

NOMBRE	TELÉFONO	CORREO ELECTRÓNICO

LO QUE QUIERO HACER EN ESPAÑA

He venido para:

Quiero aprender español porque:

En clase quiero:

En España, tengo muchas ganas de:

UNA WEB PARA APRENDER MÁS

CAMPUS.DIFUSION.COM

MI DIARIO EN ESPAÑA

DE VUELTA A CASA

Llega el momento de volver a casa. Completa.

Mi estancia en España ha sido:

un color: ....

una persona: ....

un momento especial: ....

una canción: ....

una palabra / expresión: ....

MIS DESCUBRIMIENTOS

Libros que he leído:

Películas que he visto:

Museos que he visitado:

Excursiones / viajes que he hecho:

Conciertos a los que he ido:

Palabras que he aprendido en la calle:

Platos nuevos que he probado:

Los mejores bares a los que he ido:

Lugares que me han gustado:

Personas interesantes que he conocido:

MIS PROGRESOS EN ESPAÑOL

¿Estás satisfecho/-a con tus progresos? ¿Por qué?

_____

¿En qué crees que has mejorado más?

_____

¿En qué crees que tienes que mejorar aún? ¿Qué vas a hacer para lograrlo?

COSAS PENDIENTES

¿Qué te queda por hacer? Escribe qué harás cuando vuelvas a España en una próxima ocasión.

La próxima vez iré a una escuela de español en Granada. Quiero visitar el Museo del Prado.

¡Hasta pronto!

CÓMO ES
AULA NUEVA EDICIÓN

Aula nació con la ilusión de ofrecer una herramienta moderna, eficaz y manejable con la que llevar al aula de español los enfoques comunicativos más avanzados. La respuesta fue muy favorable: miles de profesores han confiado en este manual y muchos cientos de miles de alumnos lo han usado en todo el mundo. **Aula Nueva edición** es una rigurosa actualización de esa propuesta: un manual que mantiene el espíritu inicial, pero que recoge las sugerencias de los usuarios, que renueva su lenguaje gráfico y que incorpora las nuevas tecnologías de la información. Gracias por seguir confiando en nosotros.

EMPEZAR

En esta primera doble página de la unidad se explica qué tarea van a realizar los estudiantes y qué recursos comunicativos, gramaticales y léxicos van a incorporar. Los alumnos entran en la temática de la unidad con una actividad que les ayuda a activar sus conocimientos previos y les permite tomar contacto con el léxico de la unidad.

COMPRENDER

En esta doble página se presentan textos y documentos muy variados (páginas web, correos electrónicos, artículos periodísticos, folletos, tests, anuncios, etc.) que contextualizan los contenidos lingüísticos y comunicativos básicos de la unidad. Frente a ellos, los estudiantes desarrollan fundamentalmente actividades de comprensión.

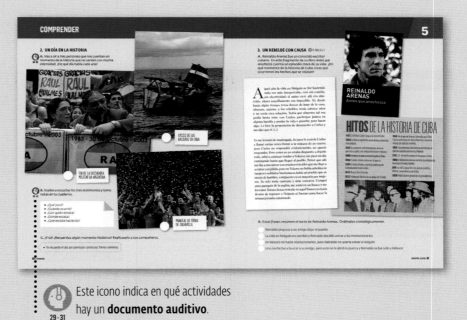

Este icono indica en qué actividades hay un **documento auditivo**.

EXPLORAR Y REFLEXIONAR

En estas cuatro páginas los estudiantes realizan un trabajo activo de observación de la lengua —a partir de muestras o de pequeños corpus— y practican de forma guiada lo aprendido.

Los estudiantes descubren así el funcionamiento de la lengua en sus diferentes niveles (morfológico, léxico, funcional, discursivo, etc.) y refuerzan su conocimiento explícito de la gramática.

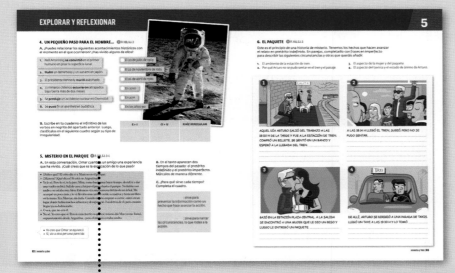

Esta referencia indica qué ejercicios de la sección *Más ejercicios* están más relacionados con cada actividad.

En la última página de esta sección se presentan esquemas gramaticales y funcionales a modo de consulta. Con ellos se persigue la claridad, sin renunciar a una aproximación comunicativa y de uso a la gramática.

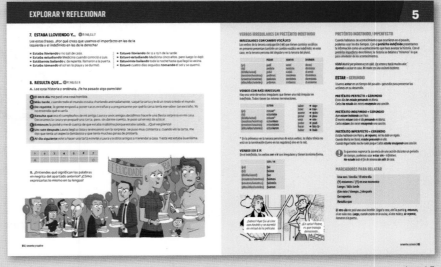

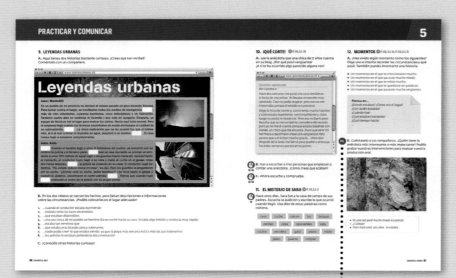

PRACTICAR Y COMUNICAR

Esta sección está dedicada a la práctica lingüística y comunicativa, e incluye propuestas de trabajo muy variadas.

El objetivo es que los estudiantes experimenten el funcionamiento de la lengua a través de microtareas comunicativas en las que se practican los contenidos presentados en la unidad. Muchas de las actividades están basadas en la experiencia del alumno: sus observaciones y su percepción del entorno se convierten en material de reflexión intercultural y en un potente estímulo para la interacción comunicativa en el aula. Al final de esta sección, se proponen una o varias tareas que implican diversas destrezas y que se concretan en un producto final escrito u oral que el estudiante puede incorporar al Portfolio.

Este icono indica algunas actividades que podrían ser incorporadas al **portfolio** del estudiante.

Actividad de vídeo. Cada unidad cuenta con un vídeo, de formatos diversos, concebido para desarrollar la comprensión audiovisual de los estudiantes.

VIAJAR

La última sección de cada unidad incluye materiales que ayudan al alumno a comprender mejor la realidad cotidiana y cultural de los países de habla hispana.

Este icono indica en qué actividades el estudiante puede usar **internet**.

En construcción. Actividad final de reflexión en la que el estudiante recoge lo más importante de la unidad.

El libro se completa con las siguientes secciones:

MÁS EJERCICIOS

Seis páginas de ejercicios por unidad. En este apartado se proponen nuevas actividades de práctica formal que estimulan la fijación de los aspectos lingüísticos de la unidad. Los ejercicios están diseñados de modo que los alumnos los puedan realizar de forma autónoma, aunque también se pueden utilizar en la clase para ejercitar aspectos gramaticales y léxicos de la secuencia.

"Sonidos y letras", un apartado con ejercicios de entonación y pronunciación.

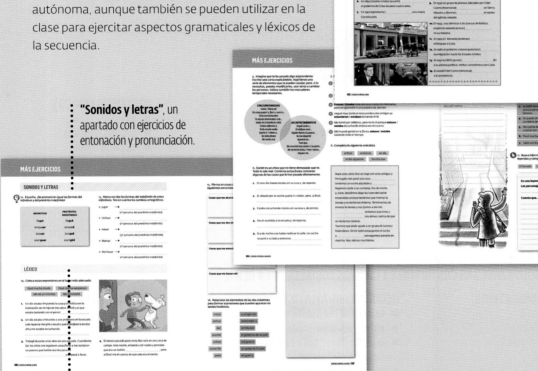

"Léxico", un apartado con ejercicios para practicar el léxico de la unidad.

MI AGENDA EN ESPAÑA

Al final del libro se incluye un anexo con información útil para que los estudiantes puedan desenvolverse en su vida cotidiana y en sus viajes por España (páginas web de interés, información sobre las comunidades autónomas, etc.). Además, en esta sección los estudiantes pueden anotar información sobre sus clases y sobre aspectos interesantes de su estancia en España.

1 VOLVER A EMPEZAR

→ EMPEZAR

1. BUENAS INTENCIONES

A. En una revista han preguntado a sus lectores cuáles son sus buenas intenciones para el año que empieza. Léelas. ¿Cuál te parece la más fácil de cumplir? ¿Y la más difícil?

> • A mí me parece muy difícil dejar de fumar.
> ○ Sí, a mí también. Yo lo he intentado muchas veces y nunca lo he conseguido.

B. ¿Qué otras buenas intenciones tiene la gente normalmente?

> • Empezar a comer mejor, dejar de enfadarse por tonterías...

PARA COMUNICAR	
Dejar de...	estudiar
Empezar a...	trabajar
Volver a...	fumar
Terminar de...	leer / estudiar / comer
Seguir...	estudiando / trabajando / fumando

FRAN, 45 AÑOS

BUENAS INTENCIONES DE PRINCIPIO DE AÑO

ENERO 01

Cuando empieza el nuevo año, todos intentamos cambiar alguna cosa de nuestras vidas. Puede ser un pequeño o un gran cambio, pero lo cierto es que no es fácil cumplir esos buenos propósitos de principio de año...

"He dejado de fumar."

LAURA, 43 AÑOS

EN ESTA UNIDAD VAMOS A
ESCRIBIR LA CARTA DE PRESENTACIÓN DEL CANDIDATO IDEAL PARA UN PUESTO DE TRABAJO

RECURSOS COMUNICATIVOS
- hablar de hábitos en el presente
- relatar experiencias pasadas
- hablar del inicio y de la duración de una acción
- localizar una acción en el tiempo

RECURSOS GRAMATICALES
- el pretérito perfecto y el pretérito indefinido
- algunas perífrasis: **empezar a** + infinitivo / **acabar de** + infinitivo / **terminar de** + infinitivo / **volver a** + infinitivo / **dejar de** + infinitivo / **llevar** + gerundio / **seguir** + gerundio
- **desde / desde que / desde hace**

RECURSOS LÉXICOS
- trabajo
- hechos de la vida de una persona

"He empezado a hacer deporte."

ESTEBAN, 56 AÑOS

"He vuelto a estudiar. Estoy haciendo un curso en una universidad a distancia."

SILVIA, 34 AÑOS

"Acabo de apuntarme a un curso de alemán".

IKER, 36 AÑOS

"Quiero terminar de leer el Quijote".

JAVIER, 38 AÑOS

"Sigo haciendo lo mismo, yo no he cambiado".

2. PROMOCIÓN DEL 2002 ⊕ P. 108, EJ. 1

A. Todas estas personas están en una fiesta de exalumnos de la universidad. Lee las conversaciones y, luego, contesta las preguntas.

Laura: Oye, ¿qué tal el doctorado? ¿Lo has terminado?
Belén: ¡No! ¡Qué va! Todavía no. Es que acabo de tener un hijo y, bueno, ya sabes…
Laura: ¿Ah, sí? ¡Enhorabuena!

Gerardo: ¿Y ahora qué estás haciendo?
Julián: Pues sigo trabajando en Chile, pero el año que viene vuelvo.

Inma: ¿Sabes? Mario se ha vuelto a casar.
Abel: ¿Otra vez? ¿Con quién?
Inma: Pues con una chica de Santander muy maja.

Eva: ¿Sigues viviendo en Alcalá?
Pili: No, hace un par de años me fui a vivir a Montanilla, un pueblecito. Es que ahora trabajo en casa.

Chus: Acabo de conseguir el trabajo de mi vida. En "Médicos Mundi".
Tere: ¡Qué envidia! Yo llevo un montón de años trabajando en el mismo lugar y estoy más harta…

Ana: ¿Cuánto hace que vives en Inglaterra?
Andrés: Pues ya hace quince años. Al principio, estuve viviendo en York y luego me trasladé a Londres.

Luis: ¿Qué sabes de Juan?
Marta: Pues está muy bien. Montó una empresa, la vendió por un montón de dinero y ha dejado de trabajar.
Luis: Ah sí. ¡Qué suerte!, ¿no?

B. Ahora vais a escuchar los diálogos. Luego, en parejas o grupos de tres, vais a representarlos.

C. Vas a hacer una entrevista a un compañero para obtener más información sobre él. Aquí tienes algunas opciones, pero puedes añadir otras.

1. ¿Quién ha dejado de trabajar? Juan
2. ¿Quién se ha ido a vivir a un pueblo? Maria Pili
3. ¿Quién se ha vuelto a casar? Maria
4. ¿Quién lleva muchos años trabajando en la misma empresa? Tere
5. ¿Quién vive fuera de España desde hace quince años? Andres
6. ¿Quién acaba de tener un niño? Belén Julian
7. ¿Quién sigue trabajando en Chile? Julián

Familia	¿Tienes hermanos? ¿Tienes novio/-a? ¿Estás casado/-a?
Estudios	¿Cuánto tiempo hace que estudias español? ¿Has estudiado otros idiomas?
Trabajo	¿Trabajas? ¿En qué? ¿Te gusta tu trabajo?
Residencia	¿Dónde vives? ¿Te has mudado de casa muchas veces?
Aficiones	¿Qué te gusta hacer en tu tiempo libre? ¿Cuál es la última película que has visto? ¿Practicas algún deporte? ¿Desde cuándo? ¿Sabes tocar algún instrumento? ¿Cuál?

• ¿Tienes hermanos, Dominique?
○ Sí, un hermano y una hermana.

3. DE VUELTA A CASA

A. Álvaro quiere volver a España y escribe a un amigo para pedirle consejo. Lee su mail y piensa cuál de estos trabajos puede hacer en España. ¿Y si va a tu país? ¿Crees que puede encontrar trabajo?

- portero de discoteca
- profesor de español
- profesor de Historia
- traductor
- dietista
- profesor de yoga
- director de una agencia de viajes
- gerente de un tablao flamenco
- guía turístico
- enfermero
- dependiente en una tienda

De: alvaro76@gmail.com
Para: jaime_ruiz@aularrhh.dif
Asunto: ¡Hola!

Hola Jaime:

¡Fue genial verte el otro día en la fiesta de Paco! Como te dije, tengo ganas de quedarme en España después de estos años en el extranjero. Por cierto, ¿sigue en pie tu oferta de ayudarme a buscar trabajo? Te cuento un poco lo que he hecho por si tienes alguna idea.

Como sabes, después de la universidad estuve trabajando un año de cocinero en un barco holandés. Fue una época genial. En el 2005 me fui a Sydney y allí estuve trabajando primero de camarero, luego de cuidador de perros, después de socorrista en una piscina y, al final, de profesor de español, aunque la verdad es que creo que no me apetece volver a hacer ninguna de esas cosas.

Después decidí irme a Japón. Allí aprendí japonés y trabajé de guía turístico para europeos, sobre todo para españoles. Y además (no te lo vas a creer) estuve dando clases de flamenco. Gané bastante dinero y dejé de trabajar una temporada. Luego, me trasladé a Alemania y allí me matriculé en un programa de doctorado de Historia de las religiones. Cuando acabé, me dieron una beca como colaborador en la Universidad de Heidelberg y estos últimos tres años he estado dando clases en la universidad.

La verdad es que he hecho un poco de todo, ya lo ves. Ahora necesito un trabajo a tiempo parcial porque todavía no he acabado la tesis. Llevo dos años escribiéndola y quiero terminar de redactarla.

Oye, pues nada, intento llamarte mañana y hablamos, ¿vale?

Un abrazo,

Álvaro

- *Yo creo que en España puede trabajar de guía turístico para japoneses, por ejemplo. Habla japonés, ¿no?*

B. ¿Tienes experiencias similares a las de Álvaro? Escribe tres cosas que has hecho en el ámbito del trabajo y de los estudios. Luego, coméntalo con tus compañeros.

Hace unos años trabajé en una tienda de ropa.

C. Imagina que buscas empleo. ¿Qué puedes hacer con tu experiencia? Coméntalo con tu compañero.

- *Yo puedo trabajar de dependiente en tiendas de ropa porque trabajé cuatro años en Benetton y además me gusta mucho la moda.*
- *Pues yo soy abogado, pero puedo hacer de camarero, por ejemplo, porque hace cuatro años trabajé en una cafetería.*

EXPLORAR Y REFLEXIONAR

4. CONTRATO INDEFINIDO P. 108, EJ. 2-3; P. 109, EJ. 4

A. Una multinacional está buscando a un director financiero. Observa el anuncio y la información sobre dos candidatos que ya trabajan en la empresa. Decide con tu compañero cuál es el más adecuado para el puesto.

Nombre: Petra Lorente
- **Hace** 6 años **que** trabaja en la empresa.
- Acabó la carrera de Económicas **hace 8 años**.
- **Hace** poco ha acabado un máster de Gestión empresarial.
- **Desde que** está al mando de su departamento, ha conseguido duplicar los beneficios.
- Viaja menos **desde que** nació su hija.
- Habla inglés y estudia árabe **desde hace** tres años.
- Vive en Madrid **desde** 2009.

Nombre: Pedro Domínguez
- **Hace** 2 años **que** trabaja en la empresa.
- Acabó la carrera de Administración de empresas **hace** 3 **años**.
- **Desde que** dirige su departamento, la coordinación del equipo ha mejorado.
- Habla inglés. Estudia francés **desde hace** 4 años.
- Se casó **hace** un año. **Hace** tres meses nació su primer hijo.
- Ha estado a cargo de las exportaciones al Norte de África **desde que** entró en la empresa.
- Vivió en Alejandría **de** 2007 a 2010. **Desde** 2011 vive en Barcelona.

Grupo multinacional líder en el sector químico precisa:

DIRECTOR ADMINISTRATIVO / FINANCIERO
PARA SU SEDE EN EL CAIRO (EGIPTO)

Se requiere
- Estudios superiores
- Dominio del inglés y conocimientos de árabe
- Experiencia en dirección de equipos
- Experiencia internacional
- Flexibilidad horaria
- Disponibilidad para viajar

B. Fíjate en las estructuras que están en negrita. ¿Entiendes cómo funcionan?

C. Completa estas frases con información sobre ti mismo.

Vivo en Georgia desde 2004

Estudio español **desde hace** hace 2 años

Hace unos 45 minutos que hemos empezado la clase.

5. ES VEGETARIANA DESDE EL AÑO 1996 P. 110, EJ. 8

A. Completa las siguientes frases con información sobre Lidia.

1980	Nace en Madrid.
1996	Se hace vegetariana.
1998-2003	Estudia en la escuela de Interpretación Nancy Tuñón de Barcelona.
2000-2004	Funda con unos compañeros la compañía de teatro La clande y hace giras por España.
2005-2006	Trabaja en Sri Lanka con Payasos sin Fronteras. Empieza a hacer yoga y a estudiar sánscrito.
2007-actualidad	Vive en Vigo y es profesora de interpretación en la Escuela Superior de Arte dramático. También es profesora de yoga. Va a la India cada verano y sigue estudiando sánscrito. De vez en cuando participa en obras de teatro con la compañía La Clande.

Nació en Madrid **hace** 38 años.
Es vegetariana **desde hace** 22 años.
Hace 11 años **que** vive en Vigo.
Estudia sánscrito **desde** 2005
Hace 13 años **que** hace yoga.
Desde que vive en Vigo

B. Haz un resumen de los acontecimientos más importantes de tu vida. Luego, intercámbialo con un compañero y escribe cinco frases sobre su vida, usando **desde**, **desde hace**, **hace que**.

6. ÉPOCA DE CAMBIOS ⊕ P.109, EJ. 7; P. 110, EJ. 9-10

A. Lee estos testimonios y escoge uno de los títulos propuestos para cada uno.

Marta

⬤ Esclava de sus hijos

⬤ Maternidad responsable

⬤ El primer hijo

Ana

⬤ La vida empieza a los 65

⬤ Volver a trabajar

⬤ La triste tercera edad

Historias de mujeres: **época de cambios**

Los expertos coinciden en que adaptarse a los cambios es fundamental para vivir feliz. Dos mujeres nos cuentan cómo han cambiado sus vidas en el último año y cómo han sabido adaptarse a una nueva situación.

MARTA VEGA. Acaba de nacer su primera hija. "Ser madre es una experiencia increíble. Te cambia la vida." La niña **lleva** dos horas **llorando**, pero Marta está encantada. Desde que ha recuperado sus 59 kilos de peso y **ha vuelto a trabajar** es otra mujer. "Lo peor fue **dejar de fumar**". Su vida social no se ha interrumpido radicalmente. "Es verdad que no puedes salir tanto como antes, pero compensa. Además, mi marido y yo **seguimos saliendo** a cenar fuera una vez por semana como antes."

ANA SORIANO. Estuvo trabajando en una fábrica durante más de cuarenta años. Cuando **dejó de trabajar**, hace dos años, tuvo una pequeña depresión. "Cuando eres viejo, la gente piensa que no vales para nada, pero es mentira. Yo **sigo teniendo** la misma fuerza y las mismas ganas de vivir que a los veinte." Ahora sale con sus amigas y **ha empezado a viajar**. Con los viajes para la tercera edad ha estado en Canarias y en Mallorca. También **ha terminado de reformar** una casa en el pueblo de sus padres y está aprendiendo a pintar. "Quiero recuperar el tiempo perdido."

B. Fíjate en las expresiones en negrita. Todas son perífrasis. Completa el cuadro.

VERBO PRINCIPAL	PREPOSICIÓN (A / DE / Ø)	INFINITIVO O GERUNDIO
empezar	a	viajar
acabar	de	infinitivo
volver		
dejar	de	fumar
seguir	Ø	teniendo
llevar	Ø	llorando
terminar	de	reformar

C. Escribe en tu cuaderno:

- Una cosa que has dejado de hacer en los últimos meses.
- Una cosa que has empezado a hacer hace poco.
- Una cosa que has vuelto a hacer en el último año.
- Una cosa que sigues haciendo.
- Una cosa que llevas mucho tiempo haciendo.
- Una cosa que has terminado de hacer hace poco.

D. Ahora coméntalo con tus compañeros. ¿Tenéis cosas en común?

> • Yo llevo mucho tiempo saliendo con mi novia, he dejado de trabajar, he empezado a estudiar español...

7. UNA CARTA DE PRESENTACIÓN ⊕ P. 109, EJ. 5-6; P. 111, EJ. 13

A. Mira este anuncio de trabajo y la carta que ha enviado Lucía Jiménez. ¿Cuáles crees que son sus puntos fuertes y sus puntos débiles como candidata al puesto?

Oferta de empleo
SE NECESITA SECRETARIO/-A DE DIRECCIÓN
(para empresa en Tenerife)

Requisitos:

- Titulado/-a universitario/-a
- Excelente nivel oral y escrito de inglés y de francés
- Experiencia mínima de dos años en un cargo similar
- Incorporación inmediata
- Se valorarán conocimientos de otros idiomas

Apreciados señores:

Les escribo con relación al anuncio publicado por *El País* con fecha de domingo 21 de septiembre para solicitar el puesto de secretaria de dirección en su empresa.

Como pueden ver en mi C.V., en 2007 me licencié en Filología francesa. Inmediatamente después hice unas prácticas en París en Impocafé, una empresa de importación de café. Al acabar las prácticas, conseguí un puesto como secretaria en las oficinas de la Unión Europea en Estrasburgo. Trabajé en el Departamento de traducción español > francés durante dos años. Hace unos meses, debido al traslado de mi pareja a la filial española de la empresa en la que trabaja, volví a Málaga, donde resido actualmente.

Creo que mi formación y mi experiencia hacen de mí una candidata idónea al puesto que ustedes ofrecen. Tengo, además, nociones de inglés y de alemán y soy una persona responsable, trabajadora y con voluntad de progresar.

Quedo a la espera de sus noticias.

Atentamente,

Lucía Jiménez

B. ¿La carta de Lucía es formal o informal? ¿En qué lo notas?

C. Subraya en la carta:

- Las palabras en las que vemos que escribe de **usted**.
- Las fórmulas para saludar y despedirse.

D. Busca en la carta de presentación palabras o expresiones que quieren decir lo mismo que las siguientes.

Pedir: _Solicitar_

Vivo: _resido → residir_

Conocimientos básicos: _Nociones de inglés y alemán_

Cuando acabé: _Al acabar_

A causa de: _debido al_

Espero respuesta: _Quedo a la espera_

HABLAR DE LA DURACIÓN

HACE + CANTIDAD DE TIEMPO + QUE + VERBO
- ● *Hace* más de tres años *que* vivo en España. ¿Y tú?
- ○ Yo, *hace* ocho años.

DESDE HACE + CANTIDAD DE TIEMPO
No veo a Carlos *desde hace* un año.

MARCAR EL INICIO DE UNA ACCIÓN

DESDE + FECHA
- ● *¿Desde cuándo* estudias español?
- ○ *Desde* enero.

DESDE QUE + VERBO
- ● Está en Granada *desde que* empezó el curso.
- ○ *Desde que* ha aprobado el examen, está más tranquila.

LOCALIZAR UNA ACCIÓN EN EL TIEMPO

PRETÉRITO PERFECTO / INDEFINIDO + HACE + CANTIDAD DE TIEMPO
- ● *Ha conseguido* el trabajo *hace* muy poco tiempo, ¿no?
- ● Sí, *hace* solo un par de meses, creo.

LÉXICO: EL TRABAJO ⊕ P. 113, EJ. 19 - 21

PERSONAS

candidato/-a	director/-a	trabajador/-a

EMPRESAS

la sede de	una empresa	**una empresa de**	exportación
la filial de			transporte

CONTRATOS

contrato	**indefinido**
	temporal
	a tiempo parcial

COSAS QUE HACEMOS

dirigir	una empresa	**trabajar en**	una empresa
montar		**hacer prácticas en**	

conseguir un	trabajo
cambiar de	

estar al mando de	un equipo de trabajadores
	un departamento

estar dispuesto/-a a	viajar
	trabajar horas extras
	trabajar el fin de semana

PERÍFRASIS ⊕ P. 111, EJ. 11; P. 113, EJ. 18

Una perífrasis es una combinación de dos verbos, uno en forma personal y el otro en forma no personal (infinitivo, gerundio o participio), a veces unidos por una preposición.

LLEVAR + GERUNDIO
Esta perífrasis sirve para expresar la duración de una acción.

Lleva más de siete años *saliendo* con Marta.
(= Hace más de siete años que sale con Marta.)

EMPEZAR A + INFINITIVO
Expresa el inicio de una acción.

- ● ¿Cuándo *empezaste a trabajar* aquí?
- ○ En mayo de 2000.

SEGUIR + GERUNDIO
Expresa la continuidad de una acción.

Seguimos yendo al cine una vez a la semana.

VOLVER A + INFINITIVO
Expresa la repetición de una acción.

- ● ¿*Has vuelto a tener* problemas con el coche?
- ○ Por suerte, no. Ahora funciona perfectamente.

DEJAR DE + INFINITIVO
Expresa la interrupción de una acción.

Dejé de estudiar a los dieciséis años.

ACABAR DE + INFINITIVO
Sirve para referirse a una acción que ha sucedido recientemente.

Acabo de conseguir el trabajo de mi vida.

TERMINAR DE + INFINITIVO
Expresa el fin de una acción.

He terminado de leer el libro que me regalaste.

ESTAR + GERUNDIO ⊕ P. 111, EJ. 12

Usamos **estar** + gerundio para presentar una acción en su desarrollo. Cuando el verbo **estar** está en pretérito perfecto o en pretérito indefinido, presentamos esa acción como concluida.
Esta mañana **he estado paseando** con un amigo.
El mes pasado **estuve viajando** por Alemania.

Utilizamos estos tiempos con expresiones referidas a periodos temporales cerrados.
He estado **todo el fin de semana** durmiendo.
Ayer estuve hablando **un rato** con mi jefe.

PRACTICAR Y COMUNICAR

8. ¿TRABAJO O VIDA PERSONAL? ➕ P. 112, EJ. 14

A. ¿Le das más importancia al trabajo o a tu familia y amigos?
Responde este cuestionario y descúbrelo.

1. ¿Cuándo miraste por última vez tu correo de trabajo fuera del trabajo?
a. Hace cinco minutos.
b. Hace unas semanas.
c. Hace meses.

2. ¿Te llevas trabajo a casa?
a. Sí, casi siempre.
b. Sí, a veces.
c. No, nunca.

3. Si no tienes tiempo de hacer algo, ¿pides ayuda a tus compañeros de trabajo?
a. No, yo lo hago mejor.
b. A veces, pero prefiero hacerlo yo.
c. Sí, claro.

4. ¿Hablas mucho de trabajo con tus amigos?
a. Desde que empecé mi nuevo trabajo, sí, porque me encanta.
b. Bastante, es que me cuesta desconectar.
c. No, a mis amigos no les interesa mi trabajo.

5. Si una reunión con tu jefe va a terminar tarde y tú has quedado con tu pareja, ¿qué haces?
a. Llamo y retraso la cita.
b. Depende. Si la reunión es importante, cancelo la cita.
c. Le digo a mi jefe que tengo que marcharme y continuamos al día siguiente.

6. ¿Cuántas horas trabajas al día?
a. Llevo unos meses trabajando más de nueve horas.
b. Ocho horas al día, pero si algún día hay más trabajo, me quedo más tiempo.
c. Ocho horas al día, ni más ni menos.

7. ¿Cuál fue la última vez que fuiste de vacaciones?
a. No me acuerdo... Hace más de tres años.
b. Hace unos meses.
c. Hace poco, y ya estoy pensando en las próximas...

Mayoría de respuestas A
Eres adicto al trabajo. Cada vez te exiges más y no puedes parar. El trabajo se ha convertido en el centro de tu vida, pero piensa que seguramente te estás perdiendo muchas cosas. Descansa un poco.

Mayoría de respuestas B
El trabajo es importante para ti, pero sabes que tu familia y tus amigos lo son más. Trabajas con moderación: si es necesario, trabajas más horas, pero intentas buscar momentos para descansar y dedicarte a otras cosas.

Mayoría de respuestas C
Para ti el trabajo es un modo de ganarte la vida, nada más. Cuando sales del trabajo, ya no piensas en él hasta el día siguiente. ¡Tus aficiones, tus amigos y tu familia son lo más importante!

B. Ahora lee los resultados. ¿Estás de acuerdo? Coméntalo con tus compañeros.

9. MIS COMPAÑEROS Y YO

Fíjate en esta ficha y busca en la clase a personas que respondan afirmativamente. Añade otras tres preguntas usando perífrasis de la unidad. ¿Con quién tienes más cosas en común?

- ¿Has dejado de comer carne?
- Sí, no como carne desde hace un año.

Busca a alguien que...
- Ha dejado de comer carne.
- Sigue viviendo con sus padres.
- Lleva más de un año saliendo con alguien.
- Otros:

10. CAMBIOS ⊕ P. 112, EJ. 17

A. Aquí tienes una serie de cosas que pueden cambiar la vida. ¿Cuáles te han pasado a ti?
En parejas, pensad qué otras cosas pueden cambiar la vida de alguien.

- casarse
- enamorarse
- acabar los estudios
- cumplir 18 años

- estudiar en el extranjero
- trasladarse a otra ciudad
- tener un hijo
- hacer un viaje

- cambiar de trabajo
- divorciarse
- mudarse de casa
- quedarse en el paro

B. En tu opinión, ¿cuál o cuáles de los momentos del apartado anterior cambian más la vida de las personas? ¿Por qué? Coméntalo con un compañero.

> • Yo creo que estudiar en el extranjero es un cambio muy importante porque tienes que empezar de cero.

C. Ahora vas a escuchar una conversación entre dos personas que hablan de momentos que han cambiado sus vidas. Completa el cuadro.

	¿QUÉ PASÓ?	¿EN QUÉ CAMBIÓ SU VIDA?
MAR	Terminamos estudios, fue en alamania, despues 3 años tuvo un hijo, casarse, empezó un trabajo visitó alamania nuevo	tuvo un hijo y se casó
DARÍO	deso su trabajo, una diferen casa nueva menos conocis mas tarde paris se divorció	hace mucho deporte ahora, menos tiempo con su amigos

11. CANDIDATOS IDEALES

A. Vas a escribir una carta de presentación para un puesto de trabajo, pero primero, entre todos vais a escribir una lista de trabajos interesantes que os gustaría hacer.

Cabaña   dis iokey DJ   un faro

- Farero/-a en una isla desierta
- Dj en una discoteca de Ibiza
- Médico/-a en Alaska...

C. En parejas, vais a leer dos cartas de presentación de dos de vuestros compañeros. ¿Están bien escritas? ¿Creéis que los candidatos pueden conseguir el puesto de trabajo? Contádselo al resto de compañeros.

PEL B. Imagina que quieres conseguir uno de esos puestos de trabajo. Elige uno y piensa en las características del candidato "ideal". Luego escribe tu carta de presentación.

Estudios
Idioma
Experiencia laboral
Aficiones
...

CRITERIOS DE EVALUACIÓN	
¿Da la información pertinente para ser contratado?	
¿La carta está bien estructurada?	
¿Usa fórmulas de saludo y despedida adecuadas?	
¿Se dirige al interlocutor de forma adecuada?	
¿Usa un léxico pertinente?	

12. BARCELÓ Y ARZAK

⊕ P. 112, EJ. 15

A. Una revista ha publicado un reportaje sobre dos personajes españoles famosos. Lee una de ellas y hazle un resumen a tu compañero.

B. Comenta con tus compañeros quién ha tenido la vida más...

- interesante
- exótica
- activa
- sencilla
- tranquila
- independiente
- segura
- peligrosa
- exitosa
- familiar

C. Aquí tienes algunos testimonios de los dos personajes, extraídos de varias entrevistas. ¿Podrías identificar quién ha dicho cada cosa?

1. "En la cocina hay que tener sobre todo humildad."
2. "Me gustaría quedarme aquí trabajando porque para mí esta casa me trae muchos recuerdos de la infancia, muchas emociones. Es un lugar mágico..."
3. "Empezamos a experimentar con el color para buscar nuevas sensaciones y explorar sus potencialidades y cualidades. Nos planteamos convertir el color en protagonista del plato."
4. "El primer gesto artístico de la humanidad, seguramente, fue el del primer hombre dibujando con el dedo en la arcilla fresca. Y esa es una manera de hacer cerámica. La cerámica es la manera más ancestral del arte."
5. "Hay muchas mujeres en las escuelas de hostelería. La cosa va a cambiar."
6. "Mi vida se parece a la superficie de mis cuadros."

D. Imagina que puedes entrevistar a uno de los dos. ¿A quién escogerías? ¿Qué preguntas le harías? Si necesitas más información, puedes buscar en internet.

DOS ESPAÑOLES QUE TRIUNFAN EN SUS PROFESIONES

LOCALES Y

Nació en Felanitx (Mallorca) en 1957. Empezó a estudiar pintura en Palma y, a los 16 años, se fue a vivir a Barcelona, donde sobrevivió vendiendo camisetas serigrafiadas. Empezó estudios de Bellas Artes, pero los abandonó antes de acabar.

El reconocimiento internacional le llegó tras su participación en la Bienal de São Paulo (Brasil) de 1981 y en la Documenta de Kassel (Alemania) de 1982.

En 1983 se fue a vivir a París para preparar una exposición individual en la galería Lambert. Residió varios años en la capital francesa y en 1986 se trasladó a Nueva York, donde expuso por primera vez en la galería Leo Castelli. En 1988 se fue a Malí y abrió allí uno de sus talleres.

Le fascina África y en sus obras se inspira en la naturaleza, la gente y el arte africanos. En 2001 le encargaron hacer un fresco de cerámica en la catedral de Palma de Mallorca. Para hacerlo estuvo trabajando varios años en Vietri sul Mare, un pueblo de Italia. Luego, en 2007, empezó a hacer la cúpula de la sala XX de las Naciones Unidas en Ginebra, que tiene 1400 m². Para idear esta obra se inspiró en el paisaje marino.

Desde entonces, Barceló ha realizado numerosas exposiciones en los museos más importantes del mundo. Vive entre París, Mallorca y Malí.

MIQUEL BARCELÓ

Elena preparando su famoso crómlech y cebolla con café y té.

UNIVERSALES

Cúpula de la sede de las Naciones Unidas en Ginebra.

Nació en San Sebastián (País Vasco) en 1969, y pertenece a la cuarta generación de una familia de cocineros.

En 1988 se fue a estudiar a la Escuela de Hostelería Schwezerische Hotelfachschule Luzern de Suiza y terminó sus estudios en 1991. Luego hizo prácticas en prestigiosos restaurantes de distintos países de Europa, como el Gavroche (en Londres), el Vivarois y el Pierre Gagniere (en París) o el Louis XIV (en Montecarlo).

Después de esos años de formación, volvió a San Sebastián y empezó a trabajar en el restaurante de su familia, el Restaurante Arzak, fundado por sus bisabuelos en 1897. Sin embargo, siguió haciendo estancias en otros restaurantes para completar su formación: estuvo en el Cassineta (en Lugano) y en El Bulli (Roses, España), trabajando con Ferran Adrià.

Desde 1994 dirige el restaurante Arzak con su padre, el famoso cocinero Juan María Arzak. Su deseo es seguir trabajando allí.

Elena Arzak ha recibido varios premios por su trayectoria profesional. En 2010 recibió el Premio Nacional de Gastronomía a Jefe de cocina y en 2012 fue elegida la Mejor Chef femenina del Mundo Veuve Clicquot.

▶ VÍDEO

Serafín Llamas
Hostelero

⊕ EN CONSTRUCCIÓN

¿Qué te llevas de esta unidad?

Lo más importante para mí:

....
....

Palabras y expresiones:

....
....

Algo interesante sobre la cultura hispana:

....
....

Quiero saber más sobre...

....
....

Cómo voy a recordar y practicar lo que he aprendido:

....
....

2 / ANTES Y AHORA

→ **EMPEZAR**

1. IMÁGENES DE UNA DÉCADA

A. Mira estas imágenes. ¿Con qué década las asocias?

4 Con los años 30

2 Con los años 50

1 Con los años 80

3 Con los años 2000

> • Yo creo que estas imágenes son de los años...

B. ¿Reconoces a alguien en las fotos?

EN ESTA UNIDAD VAMOS A

DECIDIR CUÁL HA SIDO LA ÉPOCA MÁS INTERESANTE DE LA HISTORIA

RECURSOS COMUNICATIVOS

- hablar de hábitos, costumbres y circunstancias en el pasado
- situar acciones en el pasado y en el presente
- argumentar y debatir

RECURSOS GRAMATICALES

- el pretérito imperfecto
- **ya no** / **todavía**
- marcadores temporales para el pasado
- marcadores temporales para el presente

RECURSOS LÉXICOS

- viajes
- periodos históricos
- etapas de la vida

2. ESPAÑA EN LA ÉPOCA DE FRANCO

A. ¿Qué sabes de la época de Franco en España? Completa estas frases para obtener información sobre ese periodo.

1. No existía ___ *el divorcio*
2. Había miles de *presos políticos*
3. Muchas películas, *Medios de comunicación obras de teatro* y libros estaban prohibidos.
4. Existía la *pena de muerte*
5. La televisión y los otros *obras de teatro Medios de comunicación* estaban controlados por el gobierno.
6. *Los partidos políticos* eran ilegales.
7. Los preservativos y *los partidos políticos todos los anticonceptivos* estaban prohibidos.
8. *Miles de españoles* vivían en el exilio y no podían volver a España.
9. Estaba prohibido enseñar *vasco, gallego, catalán*

obras de teatro
el divorcio
los partidos políticos
presos políticos
medios de comunicación
vasco, gallego y catalán
miles de españoles
todos los anticonceptivos
pena de muerte

B. Ahora, relaciona estos titulares con las informaciones anteriores.

A *8 2* APROBADA LA LEY DE AMNISTÍA
(octubre de 1977)

E *1* APROBADA LA LEY DE DIVORCIO
(julio de 1981)

B *3* MILES DE ESPAÑOLES CRUZAN LA FRONTERA FRANCESA PARA VER *EL ÚLTIMO TANGO EN PARÍS*
(diciembre de 1972)

F SE LEGALIZA EL PARTIDO COMUNISTA DE ESPAÑA
6
(abril de 1977)

C *4* EJECUTADOS
SALVADOR PUIG ANTICH Y HEINZ CHEZ
(marzo de 1974)

G La Constitución reconoce la oficialidad de las lenguas catalana, gallega y vasca
9
(diciembre de 1978)

H LAS FARMACIAS ESPAÑOLAS EMPIEZAN A VENDER PÍLDORAS ANTICONCEPTIVAS
(marzo de 1978)

D EL SENADO ESPAÑOL DA LAS GRACIAS OFICIALMENTE A MÉXICO POR SU ACOGIDA A LOS EXILIADOS ESPAÑOLES
8
(octubre de 1998)

I *7* Este mes empieza a emitir Antena 3, la primera televisión privada de España
5
(diciembre de 1989)

3. TURISTAS O VIAJEROS

A. Lee este fragmento de un artículo sobre los viajes. ¿Estás de acuerdo con lo que dice?

- Yo estoy de acuerdo. Para mí viajar ya no es una aventura.
- Pues yo no estoy de acuerdo. Yo creo...

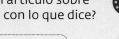 **B.** Ahora, lee este cuestionario y marca las respuestas con las que estás más de acuerdo.

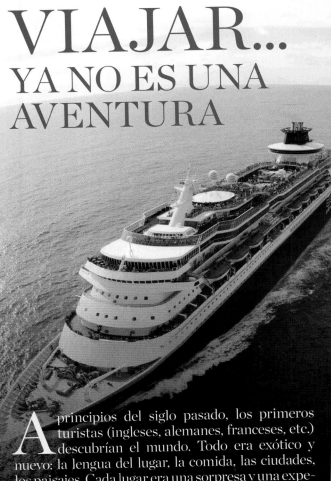

VIAJAR...
YA NO ES UNA AVENTURA

A principios del siglo pasado, los primeros turistas (ingleses, alemanes, franceses, etc.) descubrían el mundo. Todo era exótico y nuevo: la lengua del lugar, la comida, las ciudades, los paisajes. Cada lugar era una sorpresa y una experiencia única. Pero eso ha cambiado radicalmente: hoy en día el turismo mueve a diario a millones de personas en todo el mundo, aunque muy pocos lo viven como una auténtica aventura.

1. Viajar es siempre una experiencia enriquecedora. La gente que viaja es más interesante.
- **a.** Estoy de acuerdo. Las personas que no han viajado son menos interesantes.
- **b.** Bueno, viajar es fantástico, pero hay gente interesantísima que no ha viajado nunca.
- **c.** Pues yo creo que hay gente que viaja mucho, pero que no aprende nada en sus viajes.

2. Hoy en día es muy difícil descubrir sitios nuevos y vivir aventuras.
- **a.** Es cierto, todos los sitios parecen iguales en todo el mundo: los restaurantes, los aeropuertos, los hoteles, ¡incluso la gente!
- **b.** Bueno, eso depende, si eres aventurero de verdad, puedes encontrar experiencias nuevas en cualquier lugar.
- **c.** No estoy de acuerdo. Para mí, subir a un avión ya es una aventura.

3. Ahora la gente puede viajar mucho más que antes y eso es positivo.
- **a.** Es verdad, hoy en día todo el mundo viaja y eso es muy bueno.
- **b.** No sé, creo que la gente viaja más, pero no quiere descubrir cosas nuevas.
- **c.** Sí, todo el mundo viaja, pero eso también tiene efectos negativos; por ejemplo, en el medio ambiente.

4. Antes todo era más romántico. La gente viajaba en barco, en tren... y ese viaje era parte de la aventura. Ahora todo es demasiado rápido.
- **a.** Sí, antes los viajes duraban mucho, eso formaba parte del encanto.
- **b.** Eso depende de cómo viajas. Todavía hay maneras románticas de viajar.
- **c.** Pues yo creo que los viajes son todavía muy lentos. Se pierde mucho tiempo.

5. Se pueden vivir aventuras sin ir muy lejos.
- **a.** Sí, claro, la aventura puede estar en tu propia casa.
- **b.** Bueno, creo que eso depende del carácter de cada uno.
- **c.** Para mí no. Yo creo que, si realmente quieres vivir una aventura, tienes que romper con la rutina e irte lejos.

 C. Una periodista especializada en viajes da sus opiniones sobre los temas anteriores en un programa de radio. ¿Coincide contigo?

4. HOY EN DÍA

A. ¿Sabes alguna cosa sobre Ibiza? Coméntalo con tus compañeros.

B. Una persona nos ha contado cosas sobre Ibiza. Lee las frases. ¿Habla de la actualidad o de los años 60 y 70?

	AÑOS 60 Y 70	ACTUALIDAD
Hoy en día Ibiza es uno de los centros de la música electrónica de todo el mundo.		
Actualmente muchas estrellas del cine, de la música y de la moda pasan sus vacaciones en Ibiza.		
Entonces era una isla más tranquila y menos turística.		
En aquella época, había muchos *hippies* que vivían en cuevas.		
En estos momentos la población es de unas 90 000 personas, pero en verano llega a las 300 000.		
En aquellos tiempos, los *hippies* de todo el mundo viajaban a la India, a Tailandia o a Ibiza.		
Ahora muchos de los *hippies* que vivían en Ibiza son altos directivos de empresas.		

C. ¿Qué palabras (verbos y expresiones) te han ayudado a saber si se trata del presente o del pasado? Subráyalas.

5. A LOS 18 AÑOS  P. 115, EJ. 4

A. Aquí tienes una serie de datos sobre la vida de Ángel, un hombre de 70 años. ¿A qué etapa de su vida pertenece cada una? Márcalo en el cuadro.

1. **A los** 18 años aún no sabía qué quería estudiar.
2. **Cuando** era pequeño, siempre recogía animales de la calle y los llevaba a casa: gatos, perros, pájaros…
3. **Cuando** iba a la universidad, en Madrid, salía mucho de noche e iba muy poco a clase.
4. **Cuando** vivía en Madrid con su segunda mujer, tenían una casa en Marbella, donde pasaban los veranos.
5. **Cuando** tenía 55 años, trabajaba mucho: era el director de una empresa multinacional y viajaba por toda Europa.
6. **De niño** era muy tímido y no tenía muchos amigos; le encantaba leer y quedarse en casa con sus hermanos.

	1	2	3	4	5	6
INFANCIA						
JUVENTUD						
MADUREZ						

B. Escribe ahora tú tres frases sobre tres momentos de tu vida.

1. De niño ....

2. A los .... años ....

3. Cuando ....

6. LAS FOTOS DE LA ABUELA ⊕ P. 115, EJ. 5-6, P. 116, EJ. 7

A. Elsa está mirando unas fotos con su abuela, que tiene 101 años. ¿A qué conversación corresponde cada foto?

> **1**
> - Mira esta foto en la playa.
> - ¿La playa?
> - Sí, en mis tiempos la playa era muy diferente. Cuando íbamos, nos cambiábamos de ropa en casetas como esta y luego nos bañábamos. No tomábamos nunca el sol. Estar morena no estaba de moda.
> - ¿Y esto son los bañadores? Eran enormes, ¿no?
> - Sí, y siempre tenían dos piezas: camisa y pantalón.

> **2**
> - Mira, este es un amigo de tu abuelo.
> - ¡Qué gracioso!
> - Sí, se llamaba Juan y era el mejor amigo de tu abuelo.
> - ¡Qué elegante!, ¿no?
> - Es que antes no nos hacíamos tantas fotos como ahora. Y el día que íbamos al fotógrafo nos poníamos la mejor ropa.

> **3**
> - Y este es tu padre.
> - ¡Qué guapo! ¿Cuántos años tenía aquí?
> - Dos. Era un niño muy guapo, sí. Y muy bueno.

B. En los diálogos, algunos verbos están en un nuevo tiempo del pasado: el pretérito imperfecto. Subráyalos. ¿Para qué crees que se usa este tiempo?

Para describir circunstancias o cosas habituales en el pasado.
Para hablar de hechos que solo ocurrieron una vez.

EXPLORAR Y REFLEXIONAR

7. YA NO TENGO TANTO TIEMPO LIBRE ⊕ P. 114, EJ. 3

A. Observa estas dos imágenes de Elisa. ¿Cuál crees que es actual y cuál de hace unos años? ¿Por qué? Luego escucha y comprueba.

04

B. Vuelve a escuchar lo que dice Elisa. ¿Cuáles de estas afirmaciones son verdaderas?

04

○ **Ya no** pasa tanto tiempo con su novio.
○ Ahora **ya no** tiene tanto tiempo libre.
○ Ahora **ya no** gana tanto dinero como antes.

○ **Todavía** le gusta cultivar verduras en el jardín.
○ **Ya no** está con su novio de antes.
○ **Todavía** vive en la misma casa de las afueras.

C. ¿Cuándo usamos **ya no** y **todavía**? Completa la tabla.

Usamos .... para expresar que una acción que ocurría en el pasado no ocurre en el presente.	
Usamos .... para expresar que una acción que ocurría en el pasado continúa en el presente.	

D. ¿Y tú? ¿En qué cosas has cambiado? Escribe frases usando **ya no** y **todavía**.

YA NO	TODAVÍA

PRETÉRITO IMPERFECTO ⊕ P. 114, EJ. 1-2

Usamos el pretérito imperfecto para describir los hábitos, las costumbres y las circunstancias de un momento pasado. El pretérito imperfecto es el equivalente del presente, pero referido al pasado.

VERBOS REGULARES

	-AR	-ER	-IR
	ESTAR	TENER	VIVIR
(yo)	est**aba**	ten**ía**	viv**ía**
(tú)	est**abas**	ten**ías**	viv**ías**
(él/ella/usted)	est**aba**	ten**ía**	viv**ía**
(nosotros/nosotras)	est**ábamos**	ten**íamos**	viv**íamos**
(vosotros/vosotras)	est**abais**	ten**íais**	viv**íais**
(ellos/ellas/ustedes)	est**aban**	ten**ían**	viv**ían**

VERBOS IRREGULARES

	SER	IR	VER
(yo)	**era**	**iba**	**veía**
(tú)	**eras**	**ibas**	**veías**
(él/ella/usted)	**era**	**iba**	**veía**
(nosotros/nosotras)	**éramos**	**íbamos**	**veíamos**
(vosotros/vosotras)	**erais**	**ibais**	**veíais**
(ellos/ellas/ustedes)	**eran**	**iban**	**veían**

Cuando **éramos** niños, **vivíamos** en un piso del centro.
Era un piso muy grande, cerca de la catedral.

MARCADORES TEMPORALES PARA EL PASADO

de niño/-a	**de joven**
a los 15 **años**	**cuando** tenía 33 años

- ¿Cómo eras **de niño**?
- Era un niño muy normal, creo.

Para referirnos a una época de la que ya hemos hablado anteriormente, usamos las siguientes expresiones.

en esa / aquella época	**entonces**
en aquellos tiempos	

Yo, de niño, leía mucho. Como **en aquella época** no teníamos televisión en casa…

MARCADORES TEMPORALES PARA EL PRESENTE

hoy en día	**actualmente**
en estos momentos	**ahora**

Antes la gente no viajaba mucho porque era caro;
hoy en día viajar en avión es mucho más barato.

ARGUMENTAR Y DEBATIR

PRESENTAR UNA OPINIÓN
Yo creo / pienso que los viajes son mucho mejores hoy en día.

DAR UN EJEMPLO
Por ejemplo, antes había menos seguridad en el transporte.

DAR UN ELEMENTO NUEVO PARA REFORZAR UNA OPINIÓN
Además, era mucho más caro y solo viajaban personas con mucho dinero.

ACEPTAR UNA OPINIÓN
Estoy de acuerdo.
(Sí), es cierto / verdad.
(Sí), claro / evidentemente.

RECHAZAR UNA OPINIÓN
(Bueno), yo no estoy de acuerdo (con eso).
Yo creo que no.

MOSTRAR ACUERDO PARCIAL Y MATIZAR
Bueno, sí, pero antes eran más emocionantes.
Eso depende.
Ya, pero ahora está todo tan globalizado que ya no puedes conocer la cultura de un lugar.

YA NO / TODAVÍA + PRESENTE ⊕ P. 116, EJ. 9

Usamos **ya no** para expresar la interrupción de una acción o de un estado.
Ya no vivo en Madrid. (= antes vivía en Madrid y ahora no)

Usamos **todavía** para expresar la continuidad de una acción o de un estado.
Todavía vivo en Madrid. (= antes vivía en Madrid y sigo viviendo allí)

PRACTICAR Y COMUNICAR

8. CUANDO TENÍA 10 AÑOS P. 117, EJ. 10-11

A. ¿Cómo eras a los 10 años? Piensa en qué aspectos eras diferente respecto a ahora y escribe un pequeño texto contando las cosas más interesantes.

- Qué cosas te gustaban y cuáles no
- Cómo eras físicamente
- Qué cosas hacías
- Tus amigos
- ...

B. El profesor va a recoger los textos y los va a repartir entre todos. ¿Sabes de quién es el papel que te ha tocado?

> Cuando tenía 10 años, vivía con mis padres en una pequeña ciudad cerca de Atenas. Llevaba gafas y trenzas y tenía el pelo muy rubio. Tenía un gato precioso que se llamaba "Snowball" y me encantaba subirme a los árboles. Mi grupo de música favorito era…

9. GRANDES INVENTOS P. 118, EJ. 16; P. 119, EJ. 17

A. Algunos inventos y descubrimientos han sido muy importantes para la vida de la gente. En parejas, pensad cuál creéis que ha sido el más importante y por qué. Antes de ese invento, ¿qué cosas eran imposibles o muy diferentes? Coméntalo con un compañero.

La invención del **teléfono**

El descubrimiento de la **penicilina**

La invención de la **imprenta**

El descubrimiento del **fuego**

La invención del **avión**

La invención de la **televisión**

La invención de la **máquina de vapor**

La invención de la **rueda**

Otros:

?

La aparición de **internet**

El descubrimiento de la **electricidad**

B. Ahora, comentadlo con los demás compañeros.

> • A nosotros nos parece muy importante la invención del avión. En primer lugar, porque, antes de los aviones, la gente viajaba mucho menos que ahora y los viajes eran mucho más lentos. Por ejemplo, los viajes en barco de Europa a América duraban semanas y eran muy duros. Además…

PARA COMUNICAR
(No) había…
La gente (no) podía…
La gente (no) tenía que…
(No) se podía…

10. ¿ESTÁS DE ACUERDO? ➕ P. 118, EJ. 15

A. Vais a oír una serie de afirmaciones sobre diferentes temas. Toma notas.

B. Ahora, en parejas, decid si estáis de acuerdo o no con las afirmaciones anteriores. ¿Estáis los dos de acuerdo en muchas cosas?

1	
2	
3	
4	
5	

11. VIAJE AL PASADO ➕ P. 116, EJ. 8; P. 119, EJ. 18

A. En grupos de tres, elegid una de estas cuatro épocas de la historia u otra que os parezca interesante. Pensad por qué os gustaría viajar a esa época y preparad vuestros argumentos. Podéis tener en cuenta estos temas.

- La salud: las enfermedades, la esperanza de vida...
- La ecología: el respeto a la naturaleza, la calidad de los alimentos, las amenazas al medio ambiente...
- La convivencia: la vida familiar, el contacto con los amigos, los vecinos...
- El entretenimiento y la comunicación: la música, la radio, la televisión, los libros...
- La tecnología: los medios de transporte, los electrodomésticos...
- La sociedad: la democracia, la justicia, la igualdad de oportunidades...

Grecia, s.V a. C.

Oeste americano, finales del siglo XIX

Ibiza (España), años 70

París, años 20

B. Ahora, cada grupo presenta sus conclusiones. Podéis grabarlo para evaluar vuestra producción oral. Los demás toman notas para debatir después. Al final, entre todos, debéis decidir cuál es la más interesante de todas las épocas.

> • A nosotros nos gustaría viajar a los años 20 en París. En aquellos años, en París vivían muchos artistas como Picasso...

12. HISTORIA DE ESPAÑA

A. Aquí tienes información sobre diferentes momentos de la historia de España.
¿Qué puedes decir de la España actual? Escribe un texto en tu cuaderno.

MOMENTOS DE LA HISTORIA DE ESPAÑA

1 Para los hombres de la Antigüedad, Hispania era el fin del mundo; creían que más allá de la península ibérica no había nada.

Cabo Finisterre (Galicia), considerado el fin del mundo en la Antigüedad

2 Hacia el siglo VI a. C., vivían en la Península varios pueblos. Los íberos estaban sobre todo en el este; los celtas, en diversos puntos de la Península; y había colonias fenicias, como Gadir (Cádiz), y griegas, como Emporio (Ampurias).

La Dama de Elche, escultura íbera

3 En el siglo I d. C., Hispania era parte del Imperio romano y se hablaba latín. Emerita Augusta (Mérida), Hispalis (Sevilla) y Tarraco (Tarragona) eran ciudades importantes, y los productos de Hispania (trigo, vino y aceite de oliva) se exportaban a todo el Imperio.

Teatro romano de Mérida

4 Hacia el siglo X, los musulmanes ocupaban la mayor parte de la Península. La agricultura estaba muy desarrollada y Al-Andalus era la región más avanzada y poderosa de Europa.

La mezquita de Córdoba

5 A finales del siglo XV, ya no quedaban reinos musulmanes en la Península. Reinaban los Reyes Católicos: Isabel de Castilla y Fernando de Aragón.

Los Reyes Católicos, Isabel y Fernando

6 Alrededor del siglo XVI, gran parte de América, las Islas Filipinas, los Países Bajos y otras regiones de Europa formaban parte del Imperio español.

Puerto de Sevilla, centro económico del Imperio Español, en el siglo XVI

B. Prepara una "historia ilustrada" de tu país. Busca fotos para cada periodo y escribe un texto. Luego, presenta tu trabajo en clase.

7

A finales del siglo XIX, España estaba en plena decadencia y solo mantenía las últimas colonias: Cuba, Filipinas y Puerto Rico.

Guerra de Independencia de Cuba (1895 - 1898)

8

Durante la dictadura de Franco (1939 - 1975), en España no había libertad de expresión, prensa, reunión, etc., y miles de españoles vivían en el exilio.

Represión policial en la época franquista

⏵ VÍDEO

Moda de los 80

⊞ EN CONSTRUCCIÓN

¿Qué te llevas de esta unidad?

Lo más importante para mí:

....

....

Palabras y expresiones:

....

....

Algo interesante sobre la cultura hispana:

....

....

Quiero saber más sobre...

....

....

Cómo voy a recordar y practicar
lo que he aprendido:

....

....

3 PROHIBIDO PROHIBIR

→ **EMPEZAR**

1. SEÑALES

A. Mira las fotografías. ¿En qué lugares están estas señales?

B. ¿Sabes qué significan?

○ No se puede fumar.

○ No se admiten perros.

○ Está prohibido beber alcohol en la calle.

○ No está permitido coger setas.

○ Está prohibido tocar la bocina.

○ No se puede entrar con pantalones cortos o camisetas sin mangas.

○ Está prohibido entrar con comida o bebida en el establecimiento.

○ Prohibido hacer fuego.

C. ¿Has visto alguna vez señales como estas? ¿Estaban en los mismos lugares?

> • En mi país, no hay señales de "prohibido fumar" en los bares porque se puede fumar, pero sí que hay en edificios públicos, en aeropuertos…

EN ESTA UNIDAD VAMOS A

HACER UN ARTÍCULO SOBRE LAS COSTUMBRES Y CÓDIGOS SOCIALES DE LA GENTE DE NUESTRO PAÍS

RECURSOS COMUNICATIVOS

- expresar prohibición
- expresar obligatoriedad
- expresar impersonalidad
- hablar de hábitos

RECURSOS GRAMATICALES

- **lo normal** / **lo habitual** / **lo raro** es + infinitivo
- **soler** + infinitivo
- cuantificadores: **todo el mundo** / **la mayoría (de...)** / **muchos** / **algunos**...
- **es obligatorio** / **está prohibido** / **está permitido** + infinitivo, **se prohíbe/n** / **se permite/n** + sustantivo

RECURSOS LÉXICOS

- costumbres sociales
- vocabulario del trabajo y la escuela

3

4

5

Catedral de Barcelona

STOP

6

Propiedad privada

7

8

2. ¿QUÉ SABES DE LOS ESPAÑOLES? ⊕ P. 124, EJ. 14

A. ¿Qué crees que hacen la mayoría de los españoles en las situaciones que plantea este cuestionario? Puedes marcar más de una opción o no marcar ninguna y proponer otra.

CÓMO RELACIONARSE EN ESPAÑA
Y NO MORIR EN EL INTENTO

1. Un español te invita a una fiesta. Te ha dicho que empieza a las 23 h.
  a. Llegas a las 23 h.
  b. Llegas a las 23:30 h.
  c. Llegas antes de las 23 h.

2. Unos amigos españoles te han invitado a comer en su casa.
  a. Al día siguiente, llamas por teléfono o envías una tarjeta para dar las gracias.
  b. Durante la comida, dices que todo está muy bueno y, al despedirte, propones cenar en tu casa algún día.
  c. Al despedirte, dices "gracias por la cena".

3. Estás por primera vez de visita en casa de los padres de un amigo español y te ofrecen quedarte a comer.
  a. Dices "sí, gracias".
  b. Dices "no, gracias", pero, si insisten, aceptas la invitación.
  c. Dices "no, gracias" y das una excusa.

4. Es tu cumpleaños y un amigo español te hace un regalo.
  a. Lo guardas y lo abres en otro momento.
  b. Lo abres y dices que te gusta mucho.
  c. Lo abres y dices que no te gusta.

5. Has estado cenando en casa de unos amigos, pero ya son las 22:30 h de la noche y mañana trabajas.
  a. Te levantas y dices: "me voy".
  b. Dices que es muy tarde y que te tienes que ir. Te levantas y te vas.
  c. Dices que es muy tarde y que te tienes que ir, pero aún te quedas un rato más hablando.

6. Llamas a un amigo a su trabajo y contesta otra persona.
  a. Dices tu nombre y preguntas si puedes hablar con tu amigo.
  b. Preguntas si está tu amigo y luego, si tu interlocutor te pregunta quién eres, dices tu nombre.
  c. Le dices: "perdona, llamo más tarde".

7. Vas a un restaurante con tres amigos españoles. A la hora de pagar...
  a. Dividís la cuenta en cuatro partes.
  b. Dividís la cuenta en cuatro partes, pero, si alguien ha comido menos, paga un poco menos.
  c. Pedís la cuenta por separado y cada uno paga lo que ha tomado.

8. Unos amigos españoles van por primera vez a tu casa.
  a. Les enseñas todas las habitaciones del piso.
  b. Los llevas directamente al salón o al comedor y no les enseñas nada más.
  c. Les enseñas las habitaciones solo si te lo piden.

B. Lee esta información y comprueba tus respuestas del cuestionario. ¿Hay algo que te sorprende? ¿Cómo se hace en tu país? Explícaselo a tu compañero.

8 cosas que debes tener en cuenta en España

En España no es normal llegar a una fiesta antes de la hora prevista. En general, la gente suele llegar media hora o una hora más tarde. Si te invitan a una cena o a una comida, se puede llegar un poco más tarde, pero no mucho más de un cuarto de hora.

En España no es habitual llamar o enviar una tarjeta para dar las gracias después de una comida en casa de unos amigos. Lo normal es elogiar los platos durante la comida y sugerir un próximo encuentro, pero no se suele dar las gracias al despedirse.

En España, cuando alguien recibe un regalo, lo abre delante de la persona que se lo ha hecho, le da las gracias y, normalmente, dice algo positivo como, por ejemplo, "¡Qué bonito!".

En España es habitual tardar en despedirse. Es frecuente anunciar que nos queremos ir y seguir hablando un buen rato. No está muy aceptado irse inmediatamente. Si alguien lo hace, da la sensación de que no está a gusto o de que está enfadado.

En situaciones de cierta formalidad, la mayoría de los españoles no acepta quedarse a comer después de un primer ofrecimiento. Lo normal es dar una excusa y decir, por ejemplo, que te esperan para comer en otro lugar. Normalmente solo te quedas si insisten mucho.

En España, no es habitual decir tu nombre cuando haces una llamada. La mayoría de la gente suele preguntar primero por la persona con la que quiere hablar y, luego, si tu interlocutor te pregunta "¿De parte de quién?", dices tu nombre.

En la mayoría de las situaciones informales en España, lo normal es pagar "a escote", es decir, se divide la cuenta a partes iguales. No se suele pedir la cuenta por separado.

En España, cuando alguien visita una casa por primera vez, es típico enseñarle todas las habitaciones. No se suele llevar a los invitados únicamente al salón. Además, en ese recorrido por las distintas habitaciones, los invitados suelen elogiar la casa y la decoración.

3. ME CHOCÓ MUCHO...

06-08

A. En un programa de televisión han entrevistado a extranjeros que viven en España. Escúchalos y anota qué costumbres de los españoles les sorprendieron al llegar a España.

MARKUS, ALEMÁN (41 AÑOS)

DANIÈLE, FRANCESA (59 AÑOS)

VERO, ARGENTINA (26 AÑOS)

B. ¿Te has encontrado en alguna situación parecida? Cuéntaselo a tu compañero.

• *Me sorprende lo de enseñar la casa. En mí país no enseñamos todas las habitaciones a los invitados.*

• *Sí, a mí una vez me invitaron a una fiesta y llegué el primero.*

4. PROHIBIDO FUMAR ⊕ P. 120, EJ. 1-3; P. 125, EJ. 18

A. Relaciona estas frases con las señales de la derecha.

1. **No se admiten** cheques
2. **Se ruega** silencio
3. Recordamos a todos los empleados que **es obligatorio** tener el móvil desconectado en horario de trabajo
4. **No se permiten** las bebidas alcohólicas
5. **Está prohibido** hacer fotografías durante la actuación
6. **Prohibida** la venta de alcohol a menores de 16 años
7. **No se permite** jugar a la pelota
8. **No se admiten** perros
9. **Prohibido** fumar
10. **No están permitidas** las visitas después de las 20 h
11. **Se debe** mantener el cinturón de seguridad abrochado
12. **Está prohibida** la entrada a las personas ajenas a esta obra
13. **Está prohibido** el paso con carritos de niño
14. **Es obligatorio** el uso del casco

B. Observa las estructuras en negrita. Luego, dibuja cinco señales y escribe las frases correspondientes para colgar en lugares de tu casa (tu habitación, el baño...) o de tu barrio.

1. **No se permite** ....
2. **No se permiten** ....
3. **No se admite** ....
4. **No se admiten** ....
5. **Se ruega** ....
6. **Es obligatorio** ....
7. **Está prohibido** ....
8. **Está prohibida** ....
9. **No está permitido** ....
10. **No está permitida** ....

Está prohibido pisar la alfombra del comedor con zapatos.

5. EN EL COLEGIO ⊕ P. 121, EJ. 5-6, P. 122, EJ. 7-8

09

A. Rubén tiene 14 años y acaba de cambiar de colegio. Escucha la conversación y marca las cosas que están prohibidas (A), las que están permitidas (B) y las que son obligatorias (C) en su nuevo colegio.

	ESTÁ PROHIBIDO	ESTÁ PERMITIDO	ES OBLIGATORIO
Llegar tarde a clase			
Quedarse a comer en el colegio			
Mascar chicle en clase			
Tener el móvil conectado en clase			
Utilizar la calculadora en la clase de matemáticas			
Consultar el diccionario en la clase de inglés			
Tutear al profesor			
Llevar uniforme			

B. Completa estas frases que dice Rubén con las siguientes expresiones. Luego escucha de nuevo la conversación y comprueba.

09

| nos obligan a | nos obligan a | nos dejan | nos dejan | nos deja |

- No .... utilizar la calculadora...
- Edu .... usar el diccionario hasta en los exámenes...
- .... quedarnos a comer en la escuela.
- .... tener el móvil apagado.
- ¡Y tampoco .... comer chicle!

C. ¿Qué cosas están prohibidas, están permitidas y son obligatorias normalmente en las escuelas de tu país? Comentadlo en grupos.

- En casi todas las escuelas de mi país es obligatorio llevar uniforme.

6. EN EL TRABAJO ● P. 121, EJ. 4; P. 123, EJ. 11

A. Estas diez frases hacen referencia a cuestiones relacionadas con el mundo del trabajo. ¿Cuáles crees que son verdad en España? Coméntalo con tu compañero.

1. **Todos** los trabajadores tienen 15 días de vacaciones cuando se casan.
2. En **la mayoría de** las empresas, cuando alguien se casa o tiene un hijo, los compañeros suelen hacerle un regalo.
3. En **algunas** empresas se suele trabajar los sábados por la mañana.
4. En **casi todas** las empresas, los trabajadores reciben el sueldo semanalmente.
5. **Casi todos** los trabajadores tienen dos pagas extras al año: una en junio y la otra en diciembre.
6. **Todos** los trabajadores tienen, como mínimo, un mes de vacaciones al año.
7. **Muchas** empresas pagan un seguro médico privado a sus trabajadores.
8. **Casi ninguna** empresa cierra en agosto por vacaciones.
9. A media mañana, en **todas** las empresas, los empleados tienen un descanso para desayunar.
10. **Casi todas** las empresas tienen una cantina donde comen los trabajadores a mediodía.

B. Intenta ordenar estas expresiones de más (8) a menos (1).

- La mayoría de las empresas
- Casi ninguna empresa
- Muchas empresas
- Pocas empresas
- Casi todas las empresas
- Ninguna empresa
- Todas las empresas
- Algunas empresas

C. Subraya en las frases del apartado A las formas del verbo **soler**. ¿Entiendes qué significa? ¿Qué tipo de palabra aparece detrás de ese verbo?

D. Ahora escribe cinco frases sobre el mundo del trabajo en tu país. Utiliza las expresiones del apartado A.

7. LO NORMAL ES... ⊕ P. 122, EJ. 9-10

A. Lee los textos. ¿Conoces otros países donde esas cosas son habituales?

¿QUÉ Y CÓMO COME LA GENTE?

Seis españoles nos hablan de costumbres gastronómicas de los países donde viven.

"Se come con palillos y a todas horas del día. La gente come mucho de pie, en la calle, en sitios de comida rápida. A veces no tardan más de 10 o 15 minutos en comer."
Gerardo, Shanghái

"Aquí la gente sale mucho a cenar fuera. Y es habitual no terminar lo que hay en el plato porque siempre ponen muchísima comida. Ah, y es muy normal empezar a bailar a media comida, cuando ponen música. Eso me encanta."
Nerea, Beirut

"Los fines de semana mucha gente sale a tomar un brunch. Y cuando hace sol, las terrazas están llenas. Hay una especie de puré que se llama "stoemp" y que es muy típico. Normalmente te lo sirven con bacon."
Ana, Bruselas

"Aquí la gente se reúne mucho con amigos o familiares los fines de semana para hacer un asado. Los argentinos te invitan muy fácilmente a un asado, incluso cuando casi no te conocen. Vas allí, tomas algo mientras se hace la carne, charlas con la gente, luego comes y sigues hablando..."
Pol, Buenos Aires

"Aquí es normal comer pasta una o dos veces al día. La pasta es riquísima, especialmente cuando la hacen en casa. También se toma mucho café, incluso por la noche, antes de acostarse. Y no es nada raro tomar helado en invierno; el helado en Italia está buenísimo."
Elías, Roma

"Cuando vas a un restaurante, tienes que dejar propina, por lo menos un 20%; si no lo haces, hasta te miran mal. En los sitios de comida rápida no funciona así, ahí se paga justo lo que cuesta la comida. También es curiosa la cantidad de envases de plástico que usan, y además muy grandes."
Omar, Boston

> • En Inglaterra también se toma el brunch los fines de semana por la mañana.

B. En estas frases de los textos hay recursos que sirven para expresar impersonalidad. Tradúcelas a tu lengua. ¿Cómo expresas lo mismo?

- **Se come** con palillos.
- Aquí **es normal comer** pasta una o dos veces al día.
- Aquí **la gente sale** mucho a cenar fuera.

- **Es habitual no terminar** lo que hay en el plato porque siempre **ponen** muchísima comida.
- **Vas** allí, **tomas** algo mientras se hace la carne, **charlas** con la gente, luego **comes** y **sigues** hablando...

EXPRESAR PROHIBICIÓN

Generalmente se usan las siguientes construcciones.

SE + 3ª PERSONA (SINGULAR O PLURAL)
Se prohíbe/n + infinitivo / sustantivo
No se permite/n + infinitivo / sustantivo
No se admite/n + sustantivo
No se puede + infinitivo

ESTÁ/N + ADJETIVO
(Está/n) Prohibido/-a/-os/-as + infinitivo / sustantivo
No está/n permitido/-a/-os/-as + infinitivo / sustantivo

*En este restaurante **está prohibido** cantar.*
***No se permite** hacer fotos durante la actuación.*
***No está permitido** usar el teléfono móvil en clase.*
*En este edificio **no se puede** entrar sin identificación.*

En la lengua oral, para expresar prohibición solemos preferir las construcciones con infinitivo. Es habitual la forma **no dejan** + infinitivo.

*En mi cole **no dejan** llevar gorra.*

EXPRESAR OBLIGATORIEDAD

Es obligatorio + infinitivo
Es / Son obligatorio/a/os/as + sustantivo

*En mi trabajo **es obligatorio** usar guantes.*
***Es obligatoria** la aceptación de las condiciones.*

HABLAR DE HÁBITOS

(No) Es normal / habitual / frecuente / raro + infinitivo
Lo normal / habitual es + infinitivo

*En España **lo normal es** pagar a escote.*
*En mi país **no es muy habitual** tomar café después de las comidas.*

Para hablar de hábitos usamos también **soler** + infinitivo.

	SOLER	
(yo)	suelo	
(tú)	sueles	
(él/ella/usted)	suele	**+ infinitivo**
(nosotros/nosotras)	solemos	
(vosotros/vosotras)	soléis	
(ellos/ellas/ustedes)	suelen	

*En España la gente **suele** acostarse tarde.*

Para opinar, valorar o aconsejar, podemos usar esta estructura.

Es bueno / malo / aconsejable / interesante / fácil + infinitivo

*En mi país **es aconsejable** dejar un 10% de propina.*

CUANTIFICADORES

Todo el mundo	**Algún(o)/-a/-os/-as** (+ sust.)
(Casi) todo/-a/-os/-as (+ sust.)	**Poco/-a/-os/-as** (+ sust.)
La mayoría (de + sust.)	**(Casi) nadie**
Mucho/-a/-os/-as (+ sust.)	**Ningún(o)/-a** (+ sust.)
La mitad (de + sust.)	

*En mi clase **todo el mundo** estudia mucho.*
***Todas** las empresas cierran los domingos.*
*En España **la mayoría de** la gente vive en las ciudades.*
***Muchos** jóvenes españoles viven con sus padres.*
***La mitad de** los alumnos de esta escuela son griegos.*
***Algunas** tiendas cierran a las 22 h.*
***Poca** gente viaja al extranjero.*
*En mi casa, **casi nadie** se acuesta antes de las 23 h.*
***Ningún** trabajador ha recibido la paga extra en verano.*

EXPRESAR IMPERSONALIDAD

Existen varios recursos para no especificar quién realiza la acción. Uno de ellos es la estructura **se** + verbo en 3ª persona (singular / plural).
*En España **se cena** bastante tarde.*

 Cuando el verbo es reflexivo, no se puede usar la estructura anterior. En estos casos, aparece un sujeto colectivo o difuso.
*En mi país **la gente se acuesta** muy temprano.*

También se puede usar la 3ª persona del plural.
*En Italia **comen** pasta casi todos los días.*

También podemos usar la 2ª persona del singular, sobre todo en la lengua oral.
*En mi país, **si sacas** buenas notas, **te dan** una beca.*

8. ¿BUENOS ESTUDIANTES?

A. Tenéis que averiguar cuántos estudiantes hacen estas cosas. Cada estudiante hace una pregunta y los demás levantan la mano.

	¿CUÁNTOS?
Hacer siempre los deberes	
Hablar siempre español en clase	
Leer periódicos o libros y ver películas en español	
Practicar el español fuera de clase	
Escuchar música española en casa	
Consultar habitualmente gramáticas y diccionarios	
Navegar por webs que están en español	
Otra:	

• *Casi toda la clase escucha música española en casa...*

B. Ahora, en parejas tenéis que redactar las conclusiones.

PARA COMUNICAR
(Casi) toda la clase
La mayoría
Algunos
(Casi) nadie

9. UN EXTRATERRESTRE DE VISITA POR ESPAÑA

A. 4D-2 es una extraterrestre que está visitando España. Lee estos fragmentos de un informe que ha escrito sobre algunas fiestas. ¿Sabes a qué fiesta se refiere en cada caso?

PLANETA TIERRA – ZONA 3F – DÍA 2

En una ciudad que se llama Valencia tienen una fiesta muy rara. Hacen explotar unas cosas que llaman "tracas" y que hacen tanto ruido que pueden dejar sordo a cualquiera. En casi todas las calles tienen unas esculturas de cartón muy grandes y muy bonitas. Las exponen durante unos días y, una noche, las queman todas a la vez.

PLANETA TIERRA – ZONA 3F – DÍA 35

En abril, durante una semana, en una ciudad que se llama Sevilla, es normal ver a las mujeres vestidas con unos vestidos especiales, muy largos, y a los hombres, con trajes típicos y grandes sombreros. La gente se traslada en coches de caballos y entra en unos lugares llamados "casetas", donde se come mucho y se baila.

B. 4D-2 también ha visitado tu país y tiene que escribir un informe como el anterior sobre algunas fiestas o tradiciones. ¿Puedes escribir ese informe?

10. LAS NORMAS DE LA CLASE

A. En parejas, tenéis que elaborar las diez normas de la clase. Tened en cuenta los siguientes aspectos.

 B. Ahora tenéis que poneros todos de acuerdo y elaborar una única lista, que podéis colgar en una pared de la clase.

> • *Están prohibidos los exámenes sorpresa.*

| Los derechos y los deberes del profesor y de los alumnos | Los deberes | La ropa | Los descansos |

| El comportamiento (durante la clase) | La comida | La puntualidad | La asistencia |

11. COSTUMBRES

A. Lee estas cosas que son habituales en España. ¿Es igual en tu país? ¿Te sorprende alguna información? Comentadlo en grupos.

- La gente suele preparar las vacaciones con poca antelación.
- Se celebran las fiestas importantes con la familia.
- Se suele comer con la familia los domingos.
- Normalmente, se enseña toda la casa a los invitados que nos visitan por primera vez.
- Se suele tomar café después de comer.
- Mucha gente invita a tomar algo a los amigos el día de su santo y de su cumpleaños.
- Muchos españoles desayunan poco en casa y vuelven a desayunar a media mañana.
- Se suele cenar después de las 21 h.
- Se come pan en las comidas.
- Muchas tiendas cierran en agosto.
- La mayoría de la gente tiene vacaciones en agosto.
- Mucha gente va de compras por la tarde, después del trabajo, de 19 h a 21 h.

> • *En mi país lo normal es preparar los viajes con mucha antelación. Normalmente...*
> ○ *En el mío también.*

B. Escribe un artículo dando consejos a los españoles que viajan a tu país. Primero, vas a hacer una lista de cosas que son habituales en tu país. Ten en cuenta estos ámbitos.

Comidas	Horarios
Fiestas	Vacaciones
Trabajo	Invitaciones
Pareja y amigos	y visitas

 C. Ahora, redacta el texto. Puedes acompañarlo con fotografías.

PARA COMUNICAR
Es (muy / bastante) normal / habitual / frecuente / raro...
No es (muy) normal / habitual / frecuente / raro...
La mayoría de la gente / Casi todo el mundo / Casi nadie...
Es obligatorio / Está prohibido / No está permitido...

D. Presenta a tus compañeros lo que has escrito. ¿Qué cosas sorprenden más a tus compañeros?

12. LOS SANFERMINES ● P. 124, EJ. 13

A. ¿Qué sabes de los Sanfermines? Mira las fotografías y coméntalo con tus compañeros.

B. Ahora lee este texto y toma nota de cinco cosas que no sabías sobre esta fiesta. Luego, en grupos de tres, ampliad vuestra lista con lo que han escrito vuestros compañeros.

Los Sanfermines

Son las míticas fiestas de la ciudad de Pamplona. Tienen lugar cada año del 6 al 15 de julio y son probablemente las fiestas españolas más conocidas en el mundo. ¿Cómo son los Sanfermines?

"El chupinazo"

Los Sanfermines empiezan el día 6 de julio a las 12 h, con el chupinazo, en la plaza Consistorial de Pamplona. Desde el balcón del ayuntamiento, se lanza un cohete para inaugurar la fiesta. La gente agita un pañuelo rojo con la mano y empieza a gritar: "¡Viva San Fermín!" (o "Gora, San Fermín!", en euskera). Empiezan nueve días de fiesta.

La procesión

El día 7 de julio se hace una procesión por las calles del centro de Pamplona con la imagen de San Fermín, patrón de la ciudad. Al santo lo sigue una multitud de personas vestidas de blanco y con pañuelo rojo.

La comparsa

Durante las fiestas, todas las mañanas recorren el centro de Pamplona 25 figuras hechas de cartón piedra: cabezudos, gigantes y "zaldikos".

El encierro

Del 7 al 14 de julio todos los días hay encierros. Seis toros bravos recorren varias calles de Pamplona, en un recorrido de casi un kilómetro, hasta llegar a la plaza de toros. Por las calles, corren con los toros más de 2 000 personas. Un cohete anuncia que han salido los toros y otro, que ya han llegado a su destino.

Ambiente durante el chupinazo

Las peñas

Son asociaciones de gente que se reúne durante todo el año para realizar distintas actividades (comer y beber, jugar a juegos de mesa, hacer excursiones, organizar partidos de fútbol, etc.). En los Sanfermines, desfilan por las calles tocando instrumentos y animando la fiesta. Los miembros de cada peña suelen tener una vestimenta específica.

Comparsa de gigantes y cabezudos

HEMINGWAY Y SAN FERMÍN

El escritor norteamericano visitó Pamplona por primera vez en 1923 y desde entonces acudió a las fiestas en muchas ocasiones, la última en 1959. Participaba activamente en las fiestas, conocía bien los buenos restaurantes y bares de Pamplona e incluso corría en los encierros.
Hemingway escribió mucho sobre las fiestas en sus artículos periodísticos y en su novela *Fiesta*. Gracias a él, los Sanfermines son conocidos en todo el planeta. Se calcula que el 60 % de los mozos que corrieron en los encierros del 2012 eran extranjeros.

▶ VÍDEO

⊞ EN CONSTRUCCIÓN

¿Qué te llevas de esta unidad?

Lo más importante para mí:

....
....

Palabras y expresiones:

....
....

Algo interesante sobre la cultura hispana:

....
....

Quiero saber más sobre...

....
....

Cómo voy a recordar y practicar
lo que he aprendido:

....
....

C. ¿Hay fiestas o tradiciones de tu país que son conocidas en el extranjero? ¿Cuál crees que es el motivo?

 D. Escribe un texto explicando en qué consiste una fiesta o tradición de tu país. Acompáñalo de fotografías.

4

BUSQUE Y COMPARE

→ EMPEZAR

1. CAMPAÑAS PUBLICITARIAS
+ P. 130, EJ. 12-13

A. Aquí tienes carteles de tres campañas institucionales. Marca el objetivo que crees que tiene cada campaña.

- Luchar contra la violencia machista.

- Concienciar sobre la importancia de preservar el medio ambiente.

- Prevenir riesgos para la salud durante el verano.

- Fomentar buenos hábitos de alimentación.

- Promover la lectura.

- Evitar la automedicación y promover un consumo responsable de los medicamentos.

B. ¿Cuál te gusta más? ¿Por qué?

> • A mí me gusta la campaña contra la violencia machista, el eslogan es muy bueno.
> ○ Pues a mí me gusta esta de...

¡Despierta desayuna!

POR LA MAÑANA, ¡UN BUEN DESAYUNO!
Procura desayunar todas las mañanas con tus hijos. Rendirán mejor durante el día y les ayudarás a prevenir la obesidad. Un buen desayuno debe incluir un lácteo (leche, yogur, queso), un cereal (pan, galletas...), un poco de aceite, mermelada o miel, frutas o zumo y, en ocasiones, jamón o fiambre.
¡HAZ QUE SE MUEVAN!
Fomenta en ellos la actividad física dentro de sus hábitos como un juego más y participa con ellos en actividades al aire libre.
CON UN BUEN DESAYUNO ¡DA EL PRIMER PASO PARA LA ALIMENTACIÓN SALUDABLE DE TUS HIJOS!

estrategia **naos**
¡Come sano y muévete!

GOBIERNO DE ESPAÑA
MINISTERIO DE SANIDAD Y CONSUMO
agencia española de seguridad alimentaria

Prevención de la obesidad infantil

www.msc.es

1

EN ESTA UNIDAD VAMOS A
DISEÑAR Y PRESENTAR UNA CAMPAÑA PUBLICITARIA

RECURSOS COMUNICATIVOS

- recomendar y aconsejar
- dar instrucciones
- describir un anuncio

RECURSOS GRAMATICALES

- la forma y algunos usos del imperativo afirmativo y negativo
- la colocación de los pronombres reflexivos y de OD / OI

RECURSOS LÉXICOS

- publicidad: valores, soportes, elementos de un anuncio
- tareas del hogar

2

Es un especialista en fruta,
pero no en medicina

No recomiendes medicamentos.
Tú no eres médico.

Por el bienestar de todos

MINISTERIO DE SANIDAD Y CONSUMO

agencia española de medicamentos y productos sanitarios

GOBIERNO DE ESPAÑA   MINISTERIO DE IGUALDAD

SACA TARJETA ROJA AL MALTRATADOR

Plantemos cara a los maltratadores. Digámosles, en una sola voz y con un solo gesto, que en esta sociedad no hay lugar para ellos y su violencia. Saca tu tarjeta roja.

PEDRO ALMODÓVAR. DIRECTOR DE CINE.

...ÓN A VÍCTIMAS DE ...ENCIA DE GÉNERO

www.
SACA
TARJETA ROJA
.ES

3

2. LA PUBLICIDAD HOY ⊕ P. 131, EJ. 15

A. Lee esta entrevista a un experto en publicidad y subraya las afirmaciones con las que estás de acuerdo. Luego, coméntalo con tus compañeros.

Joaquín Linares, un publicista con más de 30 años de experiencia, nos habla del presente y del futuro de la publicidad

Sr. Linares, ¿cómo es la publicidad hoy?

Actualmente, ya no sirve solo la presentación de la marca y del producto. Los consumidores quieren ver otros valores. Después del lujo, la ambición y la agresividad de las campañas de los años 80 y 90, se inició una tendencia más ética y respetuosa con el medio ambiente. Hoy en día vende lo ecológico, lo que es solidario, lo políticamente correcto... Además, internet ha cambiado el mundo de la publicidad, aunque, por supuesto, se siguen haciendo campañas en los soportes de siempre: televisión, radio, vallas publicitarias...

¿Qué efecto ha tenido internet en la publicidad?

Internet permite conocer mejor las necesidades de los consumidores. También obliga a las marcas a ser más responsables y cuidadosas con su imagen y a calcular los efectos de sus campañas. A través de las redes sociales como Facebook o Twitter, los consumidores pueden expresar mucho más fácilmente sus opiniones y eso es algo que las marcas tienen que tener en cuenta. La gente hoy en día hace mucho más caso de lo que opinan los otros consumidores que de los anuncios... Y las empresas lo saben.

"Internet ha cambiado el mundo de la publicidad."

¿Tiene futuro la publicidad?

¡Claro que tiene futuro! La publicidad es una herramienta imprescindible, no solo para los empresarios que venden productos, sino también para las instituciones que necesitan comunicarse con el público. Cada vez más, los gobiernos, los organismos públicos y las ONG lanzan campañas para concienciar a la gente de que existe un problema y proponer una solución. Esa es la idea básica. E internet ofrece más posibilidades que nunca: las empresas e instituciones ponen anuncios en los buscadores principales, como Google y YouTube, y apuestan por las redes sociales, no solo para informar sobre sus productos, sino también para conocer las opiniones de los consumidores.

¿La publicidad es arte?

El publicista combina muchos ingredientes: las imágenes, los textos, los elementos relacionados con la marca, como el logotipo, etc. y usa esa combinación para impactar al observador. A veces, eso es casi arte.

Uno de los recientes trabajos de Linares, realizado para la marca de ropa infantil Bobby, una campaña que ha tenido mucha difusión en las redes sociales.

• *Yo también creo que hoy en día las marcas tienen que ser más cuidadosas con su imagen.*

B. Vuelve a leer el texto y busca palabras o expresiones de las siguientes categorías. ¿Sabes otras?

Elementos de un anuncio	Personas relacionadas con la publicidad	Objetivos de la publicidad	Valores o connotaciones transmitidos por la publicidad
la marca	los consumidores	impactar	el lujo

3. UN ANUNCIO ⊕ P. 126, EJ. 1

A. Este anuncio pertenece a una campaña de una empresa telefónica. ¿Qué ves? ¿Qué te sugiere? Completa la ficha.

¿QUÉ VEMOS?

1. Logotipo: **Unet**

2. Qué ofrece: ....

3. Eslogan: ....

4. Soporte
- ☐ prensa escrita
- ☐ radio
- ☐ televisión
- ☐ internet
- ☐ ....

5. ¿Cómo describe el producto?
- ☐ de manera objetiva
- ☐ muestra indirectamente sus ventajas
- ☐ lo compara con otros

6. ¿Cómo es el texto?
- ☐ técnico
- ☐ humorístico
- ☐ poético
- ☐ ....

7. ¿Qué tipo de texto imita?
- ☐ un cuento
- ☐ una carta
- ☐ una conversación
- ☐ una postal

¿QUÉ NOS SUGIERE?

1. ¿Te gusta? ¿Por qué?

....
....
....

2. ¿El eslogan es fácil de recordar?

3. ¿A qué tipo de público se dirige?
- ☐ hombres
- ☐ mujeres
- ☐ jóvenes
- ☐ niños
- ☐ ....

4. ¿A qué valores se asocia el producto?
- ☐ belleza
- ☐ éxito social
- ☐ amor y amistad
- ☐ libertad
- ☐ solidaridad
- ☐ ....

→ Venga cariño, un beso.
→ **MUA MUA**
→ BUENO, VA, CUELGA.
→ No, cuelga TÚ.
→ NO, PRIMERO TÚ.
→ Bueno, YA CUELGO.
→ UN ÚLTIMO BESO.
→ **MUA**
→ VA, CUELGA.
→ NO, TÚ.
→ LOS DOS.
→ Vale, los dos.
→ PERO CUELGA, ¿EH?

ÚNETE A LA COMUNICACIÓN

Ahora con **Unet** conseguirás tarifas más baratas incluso en llamadas de fijo a móvil (0,10 € minuto).

Unet

B. En parejas, buscad anuncios en español en internet y comentadlos. Elegid el que os guste más. Luego, explicad a los demás por qué os parece un buen anuncio.

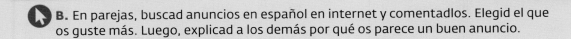

- A nosotros nos gusta mucho este anuncio de...

4. ESLÓGANES ⊕ P. 127, EJ. 6; P. 128, EJ. 7

A. Aquí tienes algunos eslóganes publicitarios. ¿Qué crees que anuncia cada uno? No siempre hay una única respuesta.

1. **Rompa** con la monotonía, **vuele** con nosotros.

2. **No rompas** la tradición; en Navidad siempre lo mejor.

3. **Haz** números y **deja** el coche en casa.

4. **Sal** de la rutina, **ven** a Extremadura.

5. **Pon** más sabor a tu vida.

6. **No deje** su ropa en otras manos.

7. **Pida** algo intenso: solo o con leche.

8. **No vivas** peligrosamente. **Vive**.

9. **Vive** una doble vida.

10. **Acuéstate** con "Doncotón".

11. **Piense** en el planeta.

a. Una región ◯

b. Una campaña de concienciación ecológica ◯

c. Una marca de coches ◯

d. Transportes públicos ◯

e. Un detergente ◯

f. Una marca de turrón ◯

g. Un helado de dos sabores ◯

h. Una marca de pijamas ◯

i. Una compañía aérea ◯

j. Una salsa de tomate ◯

k. Una marca de café ◯

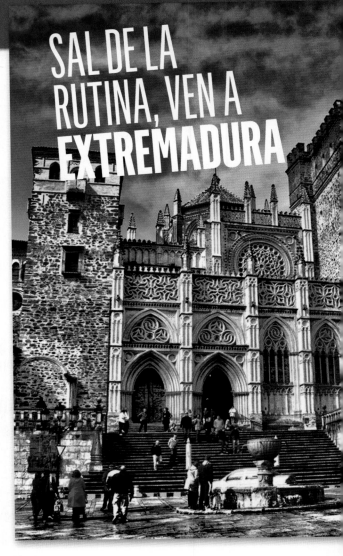

SAL DE LA RUTINA, VEN A EXTREMADURA

B. Observa los verbos en negrita. Están en imperativo. ¿Sabes cómo se forma ese tiempo? Completa los cuadros.

IMPERATIVO AFIRMATIVO

	DEJAR	ROMPER	VIVIR
(tú)	....	romp**e**	....
(usted)	dej**e**	....	viv**a**

IMPERATIVO NEGATIVO

	DEJAR	ROMPER	VIVIR
(tú)	no dej**es**	....	....
(usted)	....	no romp**a**	no viv**a**

C. Completa ahora estos imperativos irregulares. ¿Son irregulares también en algún otro tiempo verbal?

O > UE VOLAR	(tú)	v**ue**la	no v**ue**les
	(usted)	....	no v**ue**le
E > IE PENSAR	(tú)	p**ie**nsa	no p**ie**nses
	(usted)	....	no p**ie**nse
E > I PEDIR	(tú)	p**i**de	no p**i**das
	(usted)	....	no p**i**da

D. Aquí tienes los imperativos negativos de **tú** y **usted** de algunos verbos. Busca en los eslóganes la forma afirmativa de **tú** y luego completa la columna afirmativa de **usted**.

IMPERATIVO NEGATIVO		IMPERATIVO AFIRMATIVO	
tú	usted	tú	usted
no hagas	no haga	....	....
no salgas	no salga	....	....
no pongas	no ponga	....	....
no vengas	no venga	....	....

5. RECICLA Y SÉ FELIZ

A. Este es un anuncio de "Reciclaje en acción". Léelo y responde a las preguntas.

NO TE DUERMAS,
TE NECESITAMOS

¿Te has cansado de un mueble? **No lo tires.**	¿Tu ropa está pasada de moda? **Regálala o intercámbiala.**	¿Alguien no tiene lavadora? **Déjale usar la tuya.**
¿Tienes medicamentos que no vas a utilizar? **Guárdalos. Puedes enviarlos a personas que sí los necesitan.**	¿Tus hijos han acabado un curso? **Dales sus libros a otros niños.**	¿Gafas que no usas? ¿Por qué tirarlas? **Regálalas a personas que sí las van a usar.**

Con **Reciclaje en acción** puedes dar todas estas cosas a quien las necesita. Dinos qué puedes ofrecer y te ponemos en contacto con las personas que lo necesitan. **¡Hazte socio!**

1. ¿Qué es "Reciclaje en acción"?
2. ¿A qué se dedica?
3. ¿Qué mensaje pretende transmitir el anuncio? ¿Puedes resumirlo en una sola frase?

B. Vuelve a leer el anuncio. ¿Sabes a qué palabras del texto se refieren los pronombres en amarillo? Escríbelas.

Lo: ....   Los: ....   Le: ....

La: ....   Las: ....   Les: ....

C. ¿Puedes decir cuándo ponemos los pronombres delante del verbo y cuándo después?

	DELANTE	DETRÁS
¿Con un infinitivo?		
¿Con un imperativo afirmativo?		
¿Con un imperativo negativo?		
¿Con otros tiempos verbales?		

D. Fíjate en la expresión **hacerse socio**. ¿Puedes escribir la forma de **usted** en imperativo negativo?

(tú)	no te hagas socio
(usted)	....

6. ORDÉNALO, POR FAVOR  P. 131, EJ. 17

Imagina que tu compañero de piso ha dejado el piso como en la ilustración y que tú has decidido escribirle una nota para recordarle todo lo que tiene que hacer. Mira la lista y escríbele la nota.

- lavar los platos
- no dejar la ropa interior en el suelo
- quitar la mesa
- pasar la aspiradora
- hacer la compra
- apagar el ordenador
- hacer la cama
- apagar las luces
- bajar la basura
- darle de comer al gato
- no olvidar el teléfono descolgado
- regar las plantas
- no dejar las revistas en el suelo
- ordenar la habitación
- hacer la cama
- no poner la lámpara en el suelo

> Los platos están sucios.
> Lávalos, por favor.

7. EN EL ANUNCIO SALE...

 A. Vas a escuchar a dos personas hablando de estos anuncios. ¿Qué escena describen? ¿Por qué les gusta el anuncio?

10-11

1

2

 B. Vuelve a escuchar y marca en cuál de los dos diálogos aparecen las siguientes expresiones.

10-11

- **Sale** un niño **chillando** "¡Un palo!, ¡un palo!".
- El mensaje del anuncio **es** muy **bonito**.
- Al final **dice** "Todo depende del cómo y el cómo solo depende de ti".
- **Se ve a** un niño **abriendo** un regalo.
- **Sale** un grupo de amigos que **se lo está pasando bien**.
- El anuncio **está muy bien**.
- **Aparece** un grupo de música **cantando** una canción.

C. ¿Cuáles de las expresiones anteriores sirven para valorar los anuncios (V)? ¿Cuáles sirven para describir las escenas (D)? Anótalo al lado de cada frase.

D. Piensa en un anuncio que te gusta. Explícale a un compañero cómo es.

> • A mí me gusta mucho un anuncio de Ikea que sale en la televisión de mi país. Hay un niño que habla con su padre y...

IMPERATIVO ⊕ P. 126, EJ. 2-4; P. 130, EJ. 14

IMPERATIVO AFIRMATIVO

El imperativo en español tiene cuatro formas: **tú** y **vosotros/-as**, **usted** y **ustedes**.

	DEJAR	ROMPER	VIVIR
(tú)	deja	rompe	vive
(vosotros/vosotras)	dejad	romped	vivid
(usted)	deje	rompa	viva
(ustedes)	dejen	rompan	vivan

La forma para **tú** se obtiene eliminando la **-s** final de la forma correspondiente del presente.

piensas ➜ piensa	comes ➜ come	vives ➜ vive

Algunos verbos irregulares no siguen esta regla.

poner ➜ **pon**	hacer ➜ **haz**	salir ➜ **sal**	tener ➜ **ten**
venir ➜ **ven**	decir ➜ **di**	ser ➜ **sé**	ir ➜ **ve**

La forma para **vosotros/-as** se obtiene al sustituir la **-r** del infinitivo por una **-d**.

hablar ➜ hablad	comer ➜ comed	vivir ➜ vivid

IMPERATIVO NEGATIVO

	PENSAR	COMER	DORMIR
(tú)	no pienses	no comas	no duermas
(vosotros/vosotras)	no penséis	no comáis	no durmáis
(usted)	no piense	no coma	no duerma
(ustedes)	no piensen	no coman	no duerman

Fíjate en que las formas para **usted** y **ustedes** son las mismas que las del imperativo afirmativo.

Con los verbos acabados en **-ar**, se sustituye la **a** de la segunda y de la tercera personas del presente de indicativo por una **e** en todas las personas.

PRESENTE	IMPERATIVO
hablas	no hables

Con los verbos acabados en **-er / -ir**, se sustituye la **e** de la segunda y de la tercera personas del presente de indicativo por una **a** en todas las personas.

PRESENTE	IMPERATIVO	PRESENTE	IMPERATIVO
comes	no comas	vives	no vivas

Algunos verbos, sin embargo, no siguen esta norma.

ir ➜ no **vaya**	estar ➜ no **esté**	ser ➜ no **sea**

ALGUNOS USOS DEL IMPERATIVO

RECOMENDAR Y ACONSEJAR
No **deje** este producto al alcance de los niños.
Haz algo diferente este fin de semana.
Desconecta un poco: **no pienses** en el trabajo.

DAR INSTRUCCIONES
Primero, **llene** una taza de agua. Luego...
Lave esta prenda a menos de 30°.
Lea las instrucciones antes de poner el horno en marcha.

LA POSICIÓN DEL PRONOMBRE ⊕ P. 127, EJ. 5

Con verbos conjugados, los pronombres, tanto reflexivos como de OD y OI, se sitúan delante del verbo.
*Esta mañana no **me** he peinado.*
*¿Qué **le** has regalado a Luis?*

El imperativo es un caso especial: los pronombres van detrás en la forma afirmativa y delante en la negativa.
● *Déja**me** el coche, por favor.*
○ *Vale, pero no **me lo** pidas más esta semana.*

En perífrasis y otras estructuras con infinitivo o gerundio, pueden ir detrás de estas estructuras.
*Para evitar el estrés, tienes que relajar**te** más.*
*¿El coche? Están arreglándo**lo**.*

O delante del verbo conjugado.
*Para evitar el estrés, **te** tienes que relajar más.*
*¿El coche? **Lo** están arreglando.*

En los verbos reflexivos desaparece la **d** final de la 2ª persona del plural.

comprad ➜ compraos

DESCRIBIR UN ANUNCIO

Es un anuncio de...
El eslogan / mensaje principal es...
En el anuncio sale / hay / aparece / se ve a / se oye a... un niño / un grupo de personas... cantando / hablando / chillando...

*En el anuncio **se oye** una voz, pero no **se ve** a nadie.*
*En el anuncio **sale** el director de la empresa **presentando** el producto.*
*En el anuncio **aparece** una señora **cocinando** algo.*
*El eslogan **es** "¡Grita de dolor ajeno!".*

8. INSTRUCCIONES

A. Aquí tienes unas instrucciones. ¿Dónde crees que podemos encontrarlas?

1. Llene una taza de agua.

2. Póngala en el microondas entre 2 y 3 minutos.

3. Eche el contenido del sobre.

4. Remuévalo y disfrute del momento.

1

⬙ No use lejía.

🪣 Lave esta prenda a menos de 30º.

⬜ Seque la prenda extendida lejos de la luz del sol.

2

• Introduzca su número secreto.

• Seleccione una cantidad o escriba la que desea.

• Recoja su tarjeta.

• Si desea realizar otra operación, vuelva a la pantalla de inicio.

3

Conserve el billete hasta el final del trayecto.

Preséntelo a petición de cualquier empleado.

4

• *Yo creo que estas instrucciones son de un...*

B. En parejas, escribid ahora unas instrucciones. Vuestros compañeros tienen que adivinar de qué son.

9. ROBOTS OBEDIENTES

A. Vamos a jugar a ser robots. Piensa en cosas que se pueden hacer en clase y escribe "una orden" en un papel en blanco.

> Coge el bolso de la persona que está a tu lado y ábrelo.

B. Vuestro profesor recoge los papeles y los reparte. Cada uno tiene que seguir la instrucción del papel que le ha tocado y los demás tienen que adivinarla.

COGE EL BOLSO DE LA PERSONA QUE ESTA A TU LADO Y ÁBRELO

10. UNA PAUSA PARA LA PUBLICIDAD

12-14

A. Vas a escuchar el principio de tres anuncios de radio. ¿Qué crees que anuncia cada uno?

1. ....

2. ....

3. ....

B. En parejas, imaginad la continuación de cada anuncio y escribidla en vuestro cuaderno.

1. ¿Cansado de los ruidos, del tráfico y de la contaminación? ¿Harto de la multitud y de las aglomeraciones? ¿Odia la falta de espacio? ¿Busca la tranquilidad?

2. En Suiza, a todo el mundo le gusta el chocolate y esquiar. ¿A qué esperas para descubrirlo?

3. ¿Te duele la espalda? ¿Estás todo el día cansado? ¿No duermes bien por las noches?

15-17

C. Ahora vais a escuchar la versión completa de los anuncios. ¿Coinciden con los vuestros?

11. UNA CAMPAÑA ⊕ P. 128, EJ. 8-9

A. ¿Recuerdas alguna campaña publicitaria impactante o divertida? Coméntalo con tus compañeros.

> • Hay una campaña de Médicos sin fronteras que está muy bien. Se llama "Pastillas contra el dolor ajeno". El objetivo es recaudar dinero para luchar contra enfermedades raras, vendiendo caramelos a un euro. El eslogan es "¡Grita de dolor ajeno!". En los anuncios salen famosos, como Javier Bardem o Andrés Iniesta, diciendo: "Hay una epidemia de dolor ajeno en nuestro país…".

B. ¿Cómo es para ti la campaña publicitaria ideal? Piensa en las características que debe tener.

- ◯ Un buen eslogan
- ◯ Una música pegadiza
- ◯ Un texto impactante o divertido
- ◯ Una buena foto / imagen
- ◯ Una buena historia
- ◯ Un famoso asociado al producto
- ◯ Una buena descripción del producto
- ◯ Otros: ....

C. Vamos a ser publicistas. En parejas, decidid el producto que vais a anunciar. Pensad primero qué palabras o valores asociáis a ese producto y a qué público os queréis dirigir.

> • ¿Qué te parece un anuncio de coches para jóvenes?
> ○ Vale. Entonces tenemos que usar palabras como "libertad", "económico"…

(PEL) D. Vais a preparar la campaña (para prensa, radio, televisión o internet). Tenéis que decidir los siguientes puntos y, finalmente, diseñarla o grabarla.

> Nombre del producto:
> Soporte:
> Eslogan:
> Actores o actrices:
> Personajes:
> Texto:
> Música:
> ¿Qué sucede? ¿Qué se ve?:

> • Yo creo que podemos poner una foto de…

12. LOS ESLÓGANES MÁS RECORDADOS

A. Mira las imágenes de estos anuncios y lee los eslóganes. ¿Qué productos crees que anuncian? ¿Entiendes los eslóganes?

B. Ahora lee los textos y comprueba. ¿Qué eslóganes te gustan más?

Los eslóganes más recordados por los españoles
¿Recuerdas algún anuncio por su eslogan? ¿Cuál?

"Busque, compare y si encuentra algo mejor, cómprelo."

Es un eslogan de un anuncio de detergentes (de la marca Colón) de los años 80, que marcó toda una época. Creo que es uno de los eslóganes más recordados en España. En el anuncio salía un hombre, que era el director de la empresa, mostrando el detergente y al final decía: "Busque, compare y si encuentra algo mejor, cómprelo". **(Nieves Castro, 48, Huesca)**

"Es el Colacao desayuno y merienda ideal."

¿Quién no conoce la canción de "Yo soy aquel negrito, del África tropical, que cultivando cantaba la canción del Colacao." ¡Pasé mi infancia escuchando esta canción! La canción terminaba con el eslogan "Es el Colacao, desayuno y merienda ideal". **(Javier Pérez, 62, Cartagena)**

"Si no hay Casera, nos vamos."

Este es un eslogan que usó la marca La Casera durante mucho tiempo en varios anuncios. En uno de ellos, una pareja que estaba en un restaurante muy elegante pedía una casera y, cuando el camarero les decía que no tenían Casera, ellos le contestaban: "Si no hay Casera, nos vamos". **(Fermín Rubio, 41, Orense)**

"Vuelve a casa por Navidad."

Un eslogan muy conocido de la marca de turrones El Almendro. De hecho, ¡creo que todavía lo usan en sus anuncios! Los españoles relacionamos la Navidad con la familia, con la comida y... con los turrones. Y El Almendro ha sabido transmitir muy bien esa idea. **(Lourdes García, 36, Toledo)**

C. Busca en internet el anuncio entero del eslogan que te ha gustado más. Luego, cuéntales a tus compañeros más cosas sobre él.

D. ¿Cuáles son los eslóganes más recordados en tu país? Haz una lista y compártela con tus compañeros.

"¡Qué bien! ¡Qué bien! Hoy comemos con Isabel."

Era un anuncio de atún en conserva de la marca Isabel. Había unos niños, muy contentos, comiendo pan con atún y se oía una canción que decía "¡Qué bien, qué bien, hoy comemos con Isabel". La marca Isabel usó esa canción en muchos anuncios, durante muchos años, y creo que muchos españoles aún nos acordamos de ella. **(Iñaki Beitia, 34, Bilbao)**

"El algodón no engaña."

Me acuerdo de esta frase porque se repitió muchas veces durante los años 90. Salía en un anuncio de un producto de limpieza de la marca Tenn. Un mayordomo limpiaba el baño con ese producto y luego pasaba un algodón para comprobar que estaba limpio. Mostraba el algodón sin rastro de suciedad y decía: "El algodón no engaña". Esa frase es tan conocida que a veces se usa en otros contextos. **(Antonia Otero, 52, Badajoz)**

▶ VÍDEO

⊞ EN CONSTRUCCIÓN

¿Qué te llevas de esta unidad?

Lo más importante para mí:

....
....

Palabras y expresiones:

....
....

Algo interesante sobre la cultura hispana:

....
....

Quiero saber más sobre...

....
....

Cómo voy a recordar y practicar lo que he aprendido:

....
....

5 MOMENTOS ESPECIALES

→ EMPEZAR

1. UN MOMENTO INOLVIDABLE

A. Mira esta fotografía. ¿Por qué crees que este día fue especial para Emilio? Coméntalo con un compañero.

18

B. Emilio habla de la fotografía con un amigo suyo. Escucha y completa con los datos que da.

- Estuvo en Melpa (Colombia) en el año ....
- Allí hizo ....
- En ese momento estaba con ....
- Pasó mucho miedo cuando, un día, ...
....

EN ESTA UNIDAD VAMOS A
CONTAR ANÉCDOTAS PERSONALES

RECURSOS COMUNICATIVOS
- relatar en pasado
- secuenciar acciones
- expresar emociones

RECURSOS GRAMATICALES
- formas irregulares del pretérito indefinido
- el contraste entre el pretérito indefinido y el imperfecto
- las formas del pasado de **estar** + gerundio
- marcadores temporales para relatar

RECURSOS LÉXICOS
- acontecimientos históricos
- emociones

2. UN DÍA EN LA HISTORIA

19-21

A. Vas a oír a tres personas que nos cuentan un momento de la historia que recuerdan con mucha intensidad. ¿De qué día habla cada una?

1983 - 30 de Octubre - 2003

CRISIS DE LOS BALSEROS EN CUBA.

FIN DE LA DICTADURA MILITAR EN ARGENTINA.

19-21

B. Vuelve a escuchar los tres testimonios y toma notas en tu cuaderno.

- ¿Qué pasó?
- ¿Cuándo ocurrió?
- ¿Con quién estaba?
- ¿Dónde estaba?
- ¿Qué estaba haciendo?

MUNDIAL DE FÚTBOL DE SUDÁFRICA.

C. ¿Y tú? ¿Recuerdas algún momento histórico? Explícaselo a tus compañeros.

- *Yo recuerdo el día del atentado contra las Torres Gemelas.*

3. UN REBELDE CON CAUSA ⊕ P. 132, EJ. 1

A. Reinaldo Arenas fue un conocido escritor cubano. En este fragmento de su libro *Antes que anochezca* cuenta un episodio clave de su vida. ¿En qué momento de la historia de Cuba crees que ocurrieron los hechos que se relatan?

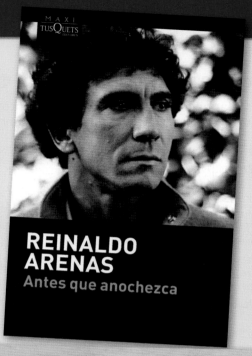

REINALDO ARENAS
Antes que anochezca

Aquel año la vida en Holguín se fue haciendo cada vez más insoportable; casi sin comida, sin electricidad; si antes vivir allí era aburrido, ahora sencillamente era imposible. Yo, desde hacía algún tiempo, tenía deseos de irme de la casa, alzarme, unirme a los rebeldes; tenía catorce años y no tenía otra solución. Tenía que alzarme; tal vez podía hasta irme con Carlos, participar juntos en alguna batalla y perder la vida o ganarla; pero hacer algo. Le hice la proposición de alzamiento a Carlos y me dijo que sí. (...)

Yo me levanté de madrugada, fui para la casa de Carlos y llamé varias veces frente a la ventana de su cuarto, pero Carlos no respondió; evidentemente, no quería responder. Pero como yo ya estaba dispuesto a dejarlo todo, eché a caminar rumbo a Velasco; me pasé un día caminando hasta que llegué al pueblo. Pensé que allí me iba a encontrar con muchos rebeldes que me iban a aceptar con júbilo, pero en Velasco no había rebeldes ni tampoco soldados bastinianos; había un pueblo que se moría de hambre, compuesto en su mayoría por mujeres. Yo solo tenía cuarenta y siete centavos. Compré unos panqués de la región, me senté en un banco y me los comí. Estuve horas sentado en aquel banco; no tenía deseos de regresar a Holguín ni fuerzas para hacer la misma jornada caminando.

HITOS DE LA HISTORIA DE CUBA

1492 Cristóbal Colón llega a la isla de Cuba.

1560 La isla se convierte en un punto comercial estratégico.

1850 Se producen enfrentamientos entre el ejército español y los independentistas cubanos.

1895 Empieza la guerra entre España y Cuba.

1898 Estados Unidos entra en la guerra.

1899 Estados Unidos asume el gobierno de Cuba durante cuatro años.

1940 Nueva Constitución.

1952 Fulgencio Batista da un golpe de Estado.

1956 Un grupo de jóvenes liderados por Fidel Castro se interna en Sierra Maestra y forma el núcleo del ejército rebelde.

1959 Tras derrotar a las fuerzas de Batista, el ejército rebelde entra en La Habana.

1962 J.F. Kennedy ordena el bloqueo a Cuba.

1980 El Gobierno cubano autoriza la emigración hacia los Estados Unidos.

1991 La URSS pone fin a su alianza política, militar y económica con Cuba.

2008 Fidel Castro renuncia a la presidencia.

B. Estas frases resumen el texto de Reinaldo Arenas. Ordénalas cronológicamente.

- ◯ Reinaldo propuso a un amigo dejar el pueblo.
- ◯ La vida en Holguín era terrible y Reinaldo decidió unirse a los revolucionarios.
- ◯ En Velasco no había revolucionarios, pero Reinaldo no quería volver a Holguín.
- ◯ Una noche fue a buscar a su amigo, pero este no le abrió la puerta y Reinaldo se fue solo a Velasco.

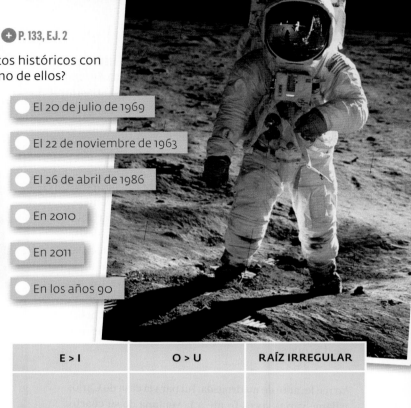

4. UN PEQUEÑO PASO PARA EL HOMBRE... 🔵 P. 133, EJ. 2

A. ¿Puedes relacionar los siguientes acontecimientos históricos con el momento en el que ocurrieron? ¿Has vivido alguno de ellos?

1. Neil Amstrong **se convirtió** en el primer humano en pisar la superficie lunar.

2. **Hubo** un terremoto y un tsunami en Japón.

3. El presidente Kennedy **murió** asesinado.

4. 33 mineros chilenos **estuvieron** atrapados bajo tierra más de dos meses.

5. Se **produjo** un accidente nuclear en Chernóbil.

6. Se **puso** fin al *apartheid* en Sudáfrica.

- El 20 de julio de 1969
- El 22 de noviembre de 1963
- El 26 de abril de 1986
- En 2010
- En 2011
- En los años 90

B. Escribe en tu cuaderno el infinitivo de los verbos en negrita del apartado anterior. Luego, clasifícalos en el siguiente cuadro según su tipo de irregularidad.

E > I	O > U	RAÍZ IRREGULAR

5. MISTERIO EN EL PARQUE 🔵 P. 133, EJ. 3-4

A. En esta conversación, Omar cuenta a un amigo una experiencia que ha vivido. ¿Cuál crees que es la explicación de lo que pasó?

- ¿Sabes qué? El otro día vi a Marcos en el parque.
- ○ ¿Marcos? ¡Qué dices! Si está en Argentina.
- Ya lo sé. Pero lo vi, te lo juro. Mira, como hacía muy buen tiempo, decidí ir a dar una vuelta en bici. Salí de casa y fui por el paseo hasta el parque. No había casi nadie y se estaba muy bien. Entonces vi a una persona detrás de un árbol. Me acerqué un poco más y lo vi: llevaba una camisa verde a cuadros y tenía un libro en la mano. Era Marcos, sin duda. Cuando me vio empezó a correr, entró en un lugar donde había muchos arbustos y desapareció. Fui detrás de él, pero cuando llegué ya no había nadie.
- ○ O sea, que no era él.
- No sé. Yo creo que sí. Pero lo más fuerte es que ese mismo día Marcos me llamó, supuestamente desde Argentina... pero el número estaba oculto.

- *Yo creo que Omar se equivocó.*
- ○ *Sí, vio a otra persona parecida.*

B. En el texto aparecen dos tiempos del pasado: el pretérito indefinido y el pretérito imperfecto. Márcalos de manera diferente.

C. ¿Para qué sirve cada tiempo? Completa el cuadro.

.... : sirve para presentar la información como un hecho que hace avanzar la acción.

.... : sirve para narrar las circunstancias, lo que rodea a la acción.

6. EL PAQUETE ⊕ P. 134, EJ. 5

Este es el principio de una historia de misterio. Tenemos los hechos que hacen avanzar el relato en pretérito indefinido. En parejas, completadlo con frases en imperfecto para describir las siguientes circunstancias y otras que queráis añadir.

1. El ambiente de la estación de tren.

2. Por qué Arturo no se pudo sentar en el tren y el paisaje.

3. El aspecto de la mujer y del paquete.

4. El aspecto del taxista y el estado de ánimo de Arturo.

AQUEL DÍA ARTURO SALIÓ DEL TRABAJO A LAS 18:00 H DE LA TARDE Y FUE A LA ESTACIÓN DE TREN. COMPRÓ UN BILLETE, SE SENTÓ EN UN BANCO Y ESPERÓ A LA LLEGADA DEL TREN. ....

A LAS 18:14 H LLEGÓ EL TREN, SUBIÓ, PERO NO SE PUDO SENTAR, ...

BAJÓ EN LA ESTACIÓN PLAZA CENTRAL. A LA SALIDA SE ENCONTRÓ A UNA MUJER QUE LE DIO UN BESO Y LUEGO LE ENTREGÓ UN PAQUETE. ....

DE ALLÍ, ARTURO SE DIRIGIÓ A UNA PARADA DE TAXIS. LLEGÓ UN TAXI A LAS 19:30 H Y LO TOMÓ. ....

7. ESTABA LLOVIENDO Y... ⊕ P. 134, EJ. 7

Lee estas frases. ¿Por qué crees que usamos el imperfecto en las de la izquierda y el indefinido en las de la derecha?

- **Estaba lloviendo** y no salí de casa.
- **Estaba estudiando** Medicina cuando conoció a Luis.
- **Estábamos bailando** y, de repente, llamaron a la puerta.
- **Estaba tomando** el sol en la playa y se durmió.

- **Estuvo lloviendo** de 12 a 19 h de la tarde.
- **Estuvo estudiando** Medicina cinco años, pero luego lo dejó.
- **Estuvimos bailando** toda la noche hasta que llegó la vecina.
- **Estuvo** cuatro días seguidos **tomando** el sol y se quemó.

8. RESULTA QUE... ⊕ P. 134, EJ. 8

A. Lee esta historia y ordénala. ¿Te ha pasado algo parecido?

Ⓐ El otro día me pasó una cosa horrible.

Ⓑ Más tarde, cuando todo el mundo estaba charlando animadamente, saqué la tarta y le di un trozo a todo el mundo.

Ⓒ De repente, la gente empezó a poner caras extrañas y a preguntarme por qué la tarta tenía ese sabor tan extraño. Yo no entendía qué ocurría.

Ⓓ Resulta que era el cumpleaños de mi amiga Laura y unos amigos decidimos hacerle una fiesta sorpresa en mi casa. Decoramos la casa y yo preparé una tarta, pero, sin darme cuenta, le puse sal en vez de azúcar.

Ⓔ Entonces la probé y me di cuenta de que estaba malísima porque estaba salada... ¡Qué vergüenza!

Ⓕ Un rato después Laura llegó a casa y se encontró con la sorpresa. Se puso muy contenta y, cuando vio la tarta, me dijo que tenía un aspecto fantástico y que tenía muchas ganas de probarla.

Ⓖ Al día siguiente volví a hacer una tarta e invité a Laura y a otros amigos a merendar a casa. Y esta vez estaba buenísima.

1	2	3	4	5	6	7
A						G

B. ¿Entiendes qué significan las palabras en negrita del apartado anterior? ¿Cómo expresarías lo mismo en tu lengua?

VERBOS IRREGULARES EN PRETÉRITO INDEFINIDO

IRREGULARES CON CAMBIO VOCÁLICO

Los verbos de la tercera conjugación (**-ir**) que tienen cambios vocálicos en presente presentan también un cambio vocálico en indefinido; en este caso, en la tercera persona del singular y en la tercera del plural.

	PEDIR	SENTIR	DORMIR
(yo)	pedí	sentí	dormí
(tú)	pediste	sentiste	dormiste
(él/ella/usted)	pidió	sintió	durmió
(nosotros/nosotras)	pedimos	sentimos	dormimos
(vosotros/vosotras)	pedisteis	sentisteis	dormisteis
(ellos/ellas/ustedes)	pidieron	sintieron	durmieron

VERBOS CON RAÍZ IRREGULAR

Hay una serie de verbos irregulares que tienen una raíz irregular en indefinido. Todos tienen las mismas terminaciones.

	ESTAR
(yo)	estuv**e***
(tú)	estuv**iste**
(él/ella/usted)	estuv**o***
(nosotros/nosotras)	estuv**imos**
(vosotros/vosotras)	estuv**isteis**
(ellos/ellas/ustedes)	estuv**ieron**

saber	→ sup-
tener	→ tuv-
querer	→ quis-
poner	→ pus-
venir	→ vin-
poder	→ pud-
hacer	→ hic-/z-
haber	→ hub-

* En la primera y en la tercera personas de estos verbos, la sílaba tónica no está en la terminación (como en los regulares) sino en la raíz.

VERBOS SER E IR

En el indefinido, los verbos **ser** e **ir** son irregulares y tienen la misma forma.

	SER / IR
(yo)	**fui**
(tú)	**fuiste**
(él/ella/usted)	**fue**
(nosotros/nosotras)	**fuimos**
(vosotros/vosotras)	**fuisteis**
(ellos/ellas/ustedes)	**fueron**

¿Sabes? Ayer fui al cine con Andrés y se durmió en mitad de la película.

¿En serio? Pobre, es que trabaja demasiado...

PRETÉRITO INDEFINIDO / IMPERFECTO

Cuando hablamos de acontecimientos que ocurrieron en el pasado, podemos usar los dos tiempos. Con el **pretérito indefinido** presentamos la información como un acontecimiento que hace avanzar la historia. Con el <u>pretérito imperfecto</u> describimos; la historia se detiene y "miramos" lo que pasa alrededor de los acontecimientos.

Visitó Madrid por primera vez en 1988. <u>Era</u> verano y <u>hacía</u> mucho calor. **Aprendí** a cocinar en casa. Mi madre <u>era</u> una cocinera excelente.

ESTAR + GERUNDIO

Usamos **estar** en un tiempo del pasado + gerundio para presentar las acciones en su desarrollo.

PRETÉRITO PERFECTO + GERUNDIO

Estos días **he estado pensando** en Marta.
Carlos **ha estado** dos meses **ensayando** una canción.

PRETÉRITO INDEFINIDO + GERUNDIO

Ayer **estuve hablando** con Paco.
El martes **estuve** todo el día **pensando** en Marta.
Carlos **estuvo** dos meses **ensayando** una canción.

PRETÉRITO IMPERFECTO + GERUNDIO

Estaba hablando con Paco y, de repente, me ha dado un regalo.
Cuando Marta me llamó, **estaba pensando** en ella.
Cuando llegué había mucho ruido porque Carlos **estaba ensayando** una canción.

 Si queremos expresar la ausencia de una acción durante un periodo de tiempo, podemos usar **estar sin** + infinitivo.
He estado todo el fin de semana **sin salir** de casa.

MARCADORES PARA RELATAR

Una vez / Un día / El otro día
(Y) entonces / (Y) en ese momento
Luego / Más tarde
(Un rato / tiempo...) después
De repente
Resulta que

El otro día me pasó una cosa increíble. Llegué a casa, abrí la puerta **y, entonces,** oí un ruido raro. **Luego,** cuando estaba en la cocina, oí otro ruido y, **de repente,** llamaron a la puerta...

9. LEYENDAS URBANAS

A. Aquí tienes dos historias bastante curiosas. ¿Crees que son verdad? Coméntalo con un compañero.

www.leyendasurbanas.dif

Leyendas urbanas

Autor: Martín422

En un pueblo de mi provincia se declaró el verano pasado un gran incendio forestal. Para luchar contra el fuego, se movilizaron todos los medios de emergencia _____ : más de cien voluntarios, cuarenta bomberos, cinco helicópteros y un hidroavión. Tardaron cuatro días en controlar el incendio y dos más en apagarlo. Después, un equipo de técnicos fue al lugar para evaluar los daños. Hasta aquí todo normal. Pero la sorpresa llegó cuando los técnicos encontraron en medio del bosque el cadáver de un submarinista. _____ . La única explicación que se les ocurrió fue que el hidroavión, al ir al mar a llenar el depósito de agua, absorbió a un hombre _____ . El caso nunca llegó a aclararse completamente.

Autor: Anita

_____ Cuando el hombre llegó a unos 3 kilómetros del pueblo, se encontró con un control de policía y lo hicieron parar. _____ pero en ese momento se produjo un accidente a unos 300 metros de aquel lugar y los guardias fueron hacia allí. Aprovechando el momento, el conductor huyó, llegó a su casa y metió el coche en el garaje. Unas dos horas después, _____ , la policía se presentó en su casa. El conductor negó los hechos. "He estado toda la noche en casa", les dijo. Pero los guardias le preguntaron por su coche. "¿Dónde está su coche, señor Martínez?" Los llevó hasta el garaje y cuando lo abrieron, encontraron el coche patrulla: _____ . Parece que cuando huyó _____ confundió el coche de la policía con su propio coche.

B. En los dos relatos se narran los hechos, pero faltan descripciones e informaciones sobre las circunstancias. ¿Podéis colocarlas en el lugar adecuado?

1. ...cuando el conductor estaba durmiendo
2. ...todavía tenía las luces encendidas
3. ...que estaban disponibles
4. ...una vez cerca de mi pueblo un hombre iba en coche hacia su casa. Estaba algo bebido y conducía muy rápido
5. ...estaba tan nervioso que
6. ...que estaba practicando pesca submarina
7. ...nadie podía creer lo que estaba viendo, ya que la playa más cercana está a más de 200 kilómetros
8. ...los policías le estaban pidiendo la documentación

C. ¿Conocéis otras historias curiosas?

10. ¡QUÉ CORTE! P. 135, EJ. 10

A. Lee la anécdota que una chica de 17 años cuenta en su blog. ¿Por qué pasó vergüenza?
¿A ti te ha ocurrido algo parecido alguna vez?

www.aprendiendodelavida.dif Reader

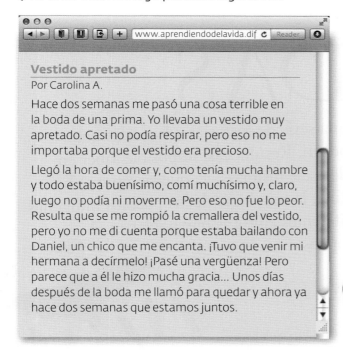

Vestido apretado

Por Carolina A.

Hace dos semanas me pasó una cosa terrible en la boda de una prima. Yo llevaba un vestido muy apretado. Casi no podía respirar, pero eso no me importaba porque el vestido era precioso.

Llegó la hora de comer y, como tenía mucha hambre y todo estaba buenísimo, comí muchísimo y, claro, luego no podía ni moverme. Pero eso no fue lo peor. Resulta que se me rompió la cremallera del vestido, pero yo no me di cuenta porque estaba bailando con Daniel, un chico que me encanta. ¡Tuvo que venir mi hermana a decírmelo! ¡Pasé una vergüenza! Pero parece que a él le hizo mucha gracia... Unos días después de la boda me llamó para quedar y ahora ya hace dos semanas que estamos juntos.

22-24 **B.** Vas a escuchar a tres personas que empiezan a contar una anécdota. ¿Cómo crees que acaban?

25-27 **C.** Ahora escucha y comprueba.

11. EL MISTERIO DE SARA P. 135, EJ. 9

28 Hace unos días, Sara fue a la casa de campo de sus padres. Escucha la audición y escribe lo que ocurrió cuando llegó. Usa diez de estas palabras como mínimo.

casa · coche · correr · luz · bosque
cerillas · copa · ojos verdes · vela
cocina · escalera · gato · piano · ruido
plato · puerta · romper

12. MOMENTOS P. 136, EJ. 14; P. 137, EJ. 15

A. ¿Has vivido algún momento como los siguientes? Elige uno e intenta recordar las circunstancias y qué pasó. También puedes inventarte una historia.

- Un momento en el que te emocionaste mucho.
- Un momento en el que pasaste mucho miedo.
- Un momento en el que te reíste mucho.
- Un momento en el que te quedaste sin palabras.
- Un momento en el que pasaste mucha vergüenza.

Piensa en...
¿Dónde estabas? ¿Cómo era el lugar?
¿Con quién estabas?
¿Cuándo fue?
¿Qué estabas haciendo?
¿Qué tiempo hacía?
...

PEL **B.** Cuéntaselo a tus compañeros. ¿Quién tiene la anécdota más interesante o más impactante? Podéis grabar vuestras intervenciones para evaluar vuestra producción oral.

- *Yo una vez pasé mucho miedo escalando.*
- *¿Cuándo?*
- *Pues hace unos seis años. Yo estaba...*

13. EL ORIGEN DE LAS COSAS ⊕ P. 135, EJ. 11

A. Lee estas dos leyendas (una mexicana y otra guaraní).
¿Cuál te gusta más? ¿Por qué? Coméntalo con tus compañeros.

LEYENDAS

Todos los pueblos tienen su mitología, una serie de historias y leyendas que explican el origen de las cosas que los rodean. Resulta casi imposible saber en qué momento exacto nacieron muchas de estas historias, ya que siempre se han transmitido oralmente. En América Latina, la mitología de los pueblos indígenas es rica y muy variada, como lo son las diferentes culturas que poblaban el continente antes de la llegada de los europeos.

EL MURCIÉLAGO
(LEYENDA MEXICANA)

Hace muchos años, el murciélago era un animal feo y desgraciado, como lo conocemos ahora. Se llamaba biguidibela, que significa "mariposa desnuda". Como estaba desnudo y tenía mucho frío, pidió plumas al Creador. Pero este no tenía plumas. Por eso, le dijo: "Baja a la Tierra y pide en mi nombre una pluma a cada ave." Y así lo hizo el murciélago. Bajó a la Tierra y pidió plumas a las aves más bonitas.

De este modo, el murciélago se convirtió en un animal muy bello. A partir de ese momento, empezó a volar de aquí para allá, agitando sus hermosas alas. Incluso se dice que, una vez, de uno de los movimientos de su vuelo nació el arco iris.

Pero las otras aves empezaron a sentir envidia y por eso lo acabaron odiando. Subieron al cielo para hablar con el Creador. Le dijeron que el murciélago presumía todo el tiempo, que se burlaba de ellos y que, además, con una pluma menos tenían frío.

Entonces el Creador llamó al murciélago para ver cómo volaba y para entender por qué sus gestos ofendían tanto a las demás aves. El murciélago agitó tanto las alas que se quedó otra vez desnudo. Durante un día entero llovieron plumas desde el cielo.

Desde entonces, solo vuela por la noche en rápidos movimientos, intentando cazar plumas imaginarias. Y no se detiene porque no quiere mostrar a nadie lo feo que es.

B. Y en tu cultura, ¿hay leyendas de este tipo? Elige una y escribe un texto en español contando la historia con tus propias palabras. Puedes buscar información en internet.

difusión
Diarios de Motocicleta
Dirigida por Walter Salles
Argentina - 2004

▶ VÍDEO

LA YERBA MATE
(LEYENDA GUARANÍ)

Un día, Yasí, la Luna, decidió bajar a la Tierra con Arai, la nube rosada. Se convirtieron en dos hermosas mujeres y comenzaron a pasear por la selva.

Estaban disfrutando de su paseo nocturno cuando, de pronto, algo se movió detrás de un árbol. Era un jaguar que quería atacarlas...

En ese momento, apareció un indio guaraní y mató al jaguar con una flecha. Entonces, Yasí y Arai recuperaron instantáneamente su forma en el cielo.

Como Yasí y Arai debían su vida al indio, para recompensarle aparecieron una noche en sus sueños y le prometieron como premio una planta: la yerba mate, un regalo de la naturaleza para acabar con la fatiga y aligerar las penas.

⊕ EN CONSTRUCCIÓN

¿Qué te llevas de esta unidad?

Lo más importante para mí:

....
....

Palabras y expresiones:

....
....

Algo interesante sobre la cultura hispana:

....
....

Quiero saber más sobre...

....
....

Cómo voy a recordar y practicar
lo que he aprendido:

....
....

6 MENSAJES

> De: **Paco Riera Arteaga** <priera@difusion.com>
> Asunto: **telf. carlos ramírez**
> Fecha: **22 de noviembre de 2013 14:29:29 GMT+01:00**
> Para: **Francesc Riera**
>
> Hola Paco:
>
> Hoy estoy de visitas en Toledo, y necesito que me envíes la última factura de Carlos Ramírez, el cliente de Illescas. Está en mi ordenador. ¿Me la puedes enviar, por favor?
>
> ¡Gracias!
>
> Un saludo,
>
> Reme
>
> Remedios Leiva Cáceres
> Comercial Zona Centro y Madrid
> SEPROCSA
> C/ Maldonado, 57
> 30380 Cartagena (Murcia)

→ EMPEZAR

1. TE AVISO, TE ANUNCIO

A. Mira los mensajes que ha recibido Paco. ¿Cuál es la intención de cada uno de ellos?

- Invitarlo a una boda.
- Recordarle que tiene que comprar algo.
- Informarlo de que ha habido un cambio de tarifas.
- Proponerle quedar esta noche.
- Pedirle un favor.

B. ¿Tú también recibes este tipo de mensajes? ¿Para qué?

> • A mí no me suelen enviar mensajes de móvil para quedar.

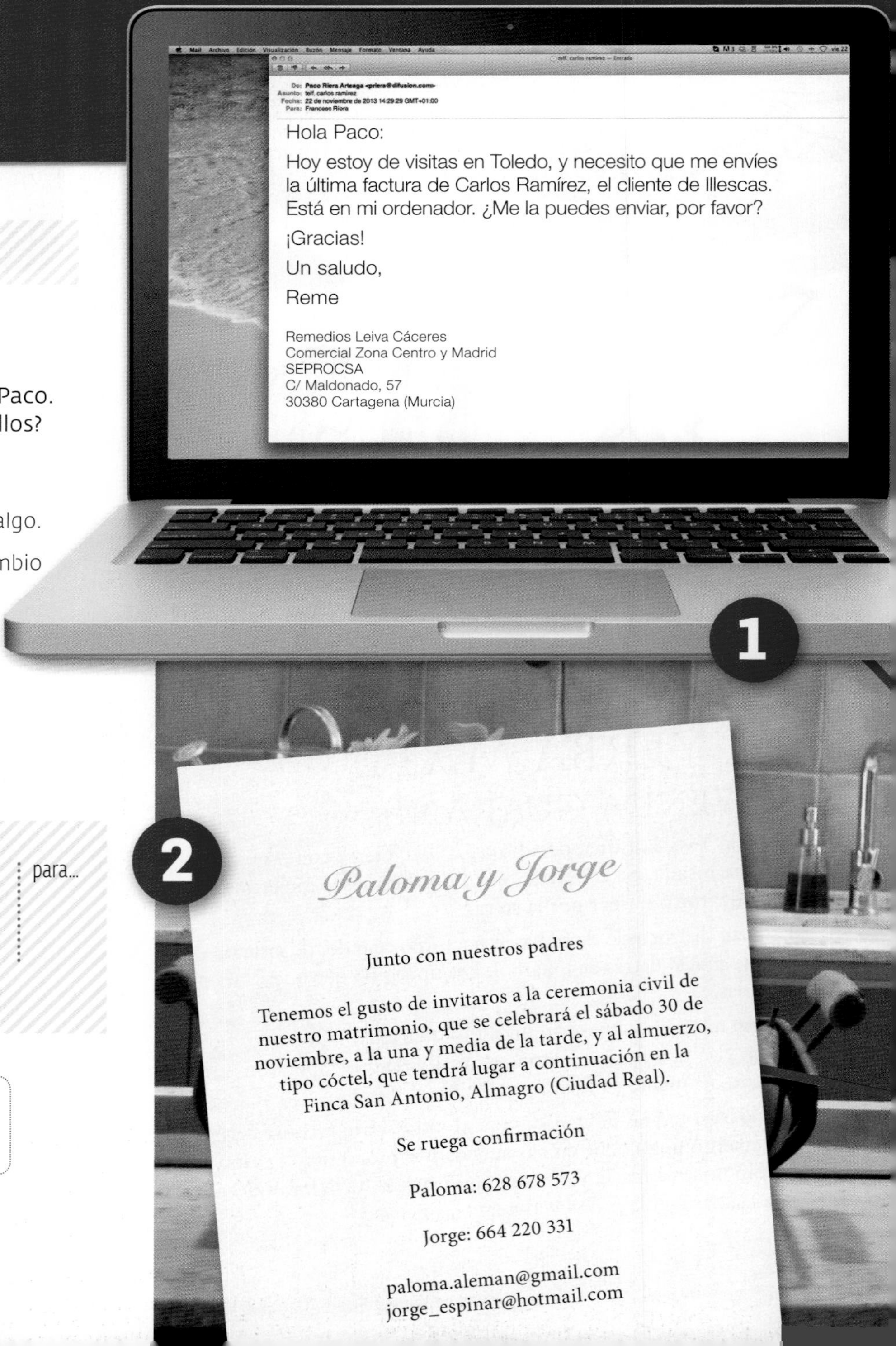

Paloma y Jorge

Junto con nuestros padres

Tenemos el gusto de invitaros a la ceremonia civil de nuestro matrimonio, que se celebrará el sábado 30 de noviembre, a la una y media de la tarde, y al almuerzo, tipo cóctel, que tendrá lugar a continuación en la Finca San Antonio, Almagro (Ciudad Real).

Se ruega confirmación

Paloma: 628 678 573

Jorge: 664 220 331

paloma.aleman@gmail.com
jorge_espinar@hotmail.com

EN ESTA UNIDAD VAMOS A
TRANSMITIR MENSAJES Y DESARROLLAR ESTRATEGIAS DE COMUNICACIÓN

RECURSOS COMUNICATIVOS
- desenvolvernos por teléfono
- tomar y dejar recados por teléfono
- transmitir mensajes
- estrategias de comunicación

RECURSOS GRAMATICALES
- estilo indirecto: **me ha dicho que... / me ha preguntado si... / me ha preguntado cuándo / dónde / por qué...**

RECURSOS LÉXICOS
- verbos que resumen la intención de un mensaje (**preguntar, recomendar,** etc.)
- tipos de mensajes (**carta, mensaje de móvil, correo electrónico,** etc.)

3

¡Paquito! ¿Por dónde andas? ¿Vamos a cenar hoy y me cuentas qué tal todo? Un abrazo
Rubén 10:08

4

COMPRA LECHE, POR FAVOR
¡GRACIAS!

5

endesa

Enero de 2013

Estimado Cliente:

Con el objetivo de mantenerle informado de forma adecuada, le comunicamos la entrada en vigor de las nuevas medidas sobre lectura y facturación de la electricidad a partir del 1 de abril de 2013.

La medida más relevante consiste en que su actual **factura mensual**, que alterna lecturas reales y estimadas, se emitirá a partir del 1 de abril con **lecturas reales y cada dos meses (bimestral)**.

Desde Endesa Energía XXI, su Comercializadora de electricidad, esperamos que esta información sea de su interés, y le invitamos a leer el texto de esta nota informativa con más detalle:

CARTA INFORMATIVA SOBRE EL CAMBIO A FACTURACIÓN BIMESTRAL[1]

Le informamos que el pasado día 15-01-2013, entró en vigor el Real Decreto 1718/2012, de 28 de diciembre, por el que se determina el procedimiento para realizar la lectura y facturación de los suministros de energía en baja tensión con potencia

2. UNA CARTA, UNA NOTA... ⊕ P. 138, EJ. 2

A. Lee los siguientes textos. ¿Qué tipo de mensajes son?

1. una carta
2. un mensaje de móvil
3. una postal
4. una nota
5. una tarjeta que acompaña unas flores
6. un mail

Apreciados clientes:
Como cada año por estas fechas, les adjunto la nueva lista de precios de nuestros productos para el próximo año. Un cordial saludo,
Aurora Jurado
INDIFEX
C/ Ribera, 4228924 Alcorcón (Madrid)
www.indifex.es

¡Hola, Sara!
Estamos en Sintra. Es un lugar precioso con unos castillos increíbles. Nos está encantando Portugal: las playas son muy bonitas, se come muy bien... ¿Y tú qué tal las vacaciones? ¡Nos vemos pronto en Sevilla!
Un beso,
Ana

¿Dónde te metes? Nunca te veo... Esta noche vienen a cenar Pedro, Mari Carmen y Julián. ¿Cenas con nosotros? Hablamos luego. Si no puedes venir, llámame.
Rafa

¡GRACIAS!

Buenas noches, cariño.

Querida mamá: ¡Feliz cumpleaños!
Un beso muy fuerte.
Tu hijo, Pedro

OLATZ BATEA RODRÍGUEZ
Avda. de Madrid, 23
20011 San Sebastián
Estimada Sra.:
Ante todo, le agradecemos la confianza que deposita en ALDA SEGUROS y le reiteramos nuestro compromiso de ofrecerle siempre la máxima protección y un alto servicio de calidad.
En relación al seguro de su vehículo, le informamos de que el día 01/04/2014 se produce el vencimiento de su póliza, cuyo importe para la próxima anualidad es de 409,80 euros.
Atentamente,
Director General

B. ¿Qué textos son formales? ¿Cuáles son informales? Marca en qué lo notas. Fíjate en estos aspectos.

- Fórmulas para saludar y despedirse
- Uso de **tú** o **usted**

C. ¿Cuál de los anteriores tipos de texto escribes tú con más frecuencia? Coméntalo con tus compañeros.

> • *Yo escribo muchos mails, pero casi nunca escribo cartas.*

¡Muchas felicidades!
Te quiero mucho.
Carla

3. AL TELÉFONO P. 138, EJ. 1

29-31

A. Vas a escuchar tres conversaciones telefónicas. Mira las fotos y decide quién habla en cada conversación.

B. Vuelve a escuchar y completa la tabla.

29-31

	1	2	3
¿Quién llama?			
¿Con quién quiere hablar?			
¿Qué relación tiene con esa persona?			
¿Para qué quiere hablar con ella?			
¿Consigue hablar con ella?			

4. ¿CÓMO DICES? P. 139, EJ. 3; P. 143, EJ. 14

A. Vas a escuchar nueve conversaciones. Marca qué pasa en cada una de ellas.

	1	2	3	4	5	6	7	8	9
No sabe cómo decir algo									
No ha entendido bien o no está seguro de haber entendido									

B. Vuelve a escuchar y completa las siguientes intervenciones. Luego marca cuáles sirven para preguntar al interlocutor si puede repetir o aclarar (A) y cuáles sirven para explicar una palabra cuando no la sabemos decir en español (E).

1. ¿Cómo _se dice_? Es .... de "mentiroso". (E)

2. Perdona, ¿................................, por favor? No .... bien.

3. ¿.................. dices?

4. ¿Qué? ¿.......................... "cutre"?

5. ¿Cómo ....?
.... una moto...

6. ¿Cómo? Perdona, es que no ....
.... bien.

7. A ver, entonces ....
.... tengo que traer comida y bebida, ¿......?

8. Me han regalado un móvil de ...., eh... poli
......................, ay, ¿cómo se dice?

9. Mire, necesito un ....
.... se llama.
Es una cosa que .... unir una puerta
con una pared.

C. Y tú, ¿qué estrategias usas cuando no sabes cómo se dice una palabra en español?

- la digo en mi lengua
- la busco en el diccionario
- pongo ejemplos
- pregunto cómo se dice
- hago un dibujo
- hago gestos
- intento imaginar cómo se dice en español
- describo la cosa
- otras: ....

5. RECADOS P. 139, EJ. 4-5

A. Alfonso ha recibido los siguientes mensajes y después se lo ha contado a un amigo. Relaciona lo que le ha contado con los textos originales.

a. "Esta mañana me ha escrito Elena y **me ha preguntado si** voy a ir a la fiesta de Luisa."

b. "Luisa me ha enviado un correo **para invitarme a** su fiesta de cumpleaños."

c. "Me ha llamado Mamen. **Me ha preguntado qué** voy a llevar a la fiesta de Luisa."

d. "Hoy he hablado con Pedro y **me ha dicho que** no va a la fiesta de Luisa porque se va de viaje."

B. Fíjate en las frases **a** y **c**. ¿Por qué crees que en una dice "me ha preguntado **si...**" y en la otra, "me ha preguntado **qué...**"?

C. Ahora imagina que un amigo te ha hecho hoy estas preguntas. ¿Cómo lo cuentas? Escríbelo en tu cuaderno.

1. ¿Te apetece ir a la fiesta?

2. ¿Cómo vas a ir a la fiesta?

3. ¿Quién va a ir a la fiesta?

4. ¿Javi va a ir a la fiesta?

5. ¿Dónde es la fiesta?

6. ¿Vas a ir en coche a la fiesta?

6. ME HA FELICITADO POR... P. 140, EJ. 6; P. 142, EJ. 12-13

A. ¿Qué verbo resume el contenido de cada mensaje?

1. Toni: "Me han dicho que has tenido un hijo. ¡Enhorabuena!"

2. Raquel: "¿Quieres venir a cenar a mi casa esta noche?"

3. María: "Adiós. ¡Hasta mañana!"

4. Tu madre: "Tenéis que ir a ver esta película."

5. Tu compañero de piso: "Cada día te dejas los platos sin fregar. ¡No puede ser!"

6. Félix: "¿Vamos a Córdoba en lugar de ir a Sevilla?"

7. Anabel: "Muchas gracias por el regalo."

8. Nerea: "¿Me das una hoja de papel?"

9. Montse: "Y ya sabéis: mañana tenemos examen."

- protestar
- felicitar
- proponer
- despedirse
- recomendar
- recordar
- pedir
- dar las gracias
- invitar

B. Imagina que tú has recibido los mensajes anteriores. ¿Cómo se lo cuentas a otra persona? Escríbelo.

> 1. Toni me ha felicitado por el nacimiento de mi hijo.
> 2. ...

7. ¿DÍGAME?

A. Lee estas transcripciones de conversaciones telefónicas y complétalas con las frases que faltan.

1
- ¿Sí?
- Hola, ...
- Sí, soy yo.
- Ay, perdona. Soy Marisa. ¿Qué tal?
- ¡Hola Marisa! ¿Qué tal?
- ....

2
- ¿Diga?
- Hola, quería hablar con Rosa María.
- ....
- De Juan Manuel.
- ....

3
- Industrias Ferreiro. Buenos días.
- Buenos días. ¿Podría hablar con el señor Ferreiro?
- ¿De parte de quién, por favor?
- ....
- Un momentito por favor. (...)
- Sr. Román, le paso con el señor Ferreiro.
- ....

4
- ¿Dígame?
- Buenas tardes. ¿Podría hablar con la señora Escudero?
- Lo siento, pero no está. ¿Quiere dejarle algún recado?
- ....

5
- ¿Dígame?
- ¿Con el señor Sancho, por favor?
- ....
  Aquí no vive ningún señor Sancho.
- ¿No es el 98 456 78 78?
- No, no, se equivoca.
- ....

| ¿De parte de quién? | Un momento, ahora se pone. | Ah, pues perdone. |

Sí, dígale que ha llamado Adela Giménez, por favor. | ¿está Javier? | Lo siento, pero creo que se equivoca.

Nada, te llamaba para saber qué haces el domingo. Es que… | De acuerdo, gracias. | De parte de Antonio Román.

B. Ahora, escucha y comprueba.
33-37

C. Escribe en tu cuaderno qué frases de las conversaciones anteriores se usan con las siguientes finalidades.

- Responder a una llamada
- Preguntar por alguien
- Identificar a la persona que llama
- Pasar una llamada
- Tomar un mensaje
- Decir a la persona que llama que ese no es el número correcto

D. ¿Qué frases del apartado anterior se usan en conversaciones formales? ¿E informales? ¿Y en las dos?

AL TELÉFONO

RESPONDER

¿Diga? / ¿Dígame?
¿Sí?
*Transportes Álvarez, **buenos días**.*

En Latinoamérica existen también otras formas para responder al teléfono:
bueno, **aló**, **pronto**, **hola**...

PREGUNTAR POR ALGUIEN

● *Hola, ¿**está** Javier?*
○ *Sí, soy yo. / No, no está.*

● *Hola, **quería hablar con** César.*

● *Hola, buenos días. ¿**Puedo hablar con** Pedro Aragón?*
○ *Lo siento, pero no está. Ha salido.*
● *¿A qué hora lo puedo encontrar?*
○ *Creo que hoy ya no va a volver.*

● *Buenos días. ¿Podría ponerme con el señor Ramírez?*
○ *Un momento, por favor.*

● *¿La señora García / Pilar García, por favor?*
○ *Lo siento, pero se equivoca.*
● *¿No es el 94 567 38 94?*
○ *No, lo siento.*
● *Disculpe.*

IDENTIFICAR A LA PERSONA QUE LLAMA

● *¿**De parte de quién**, por favor?*
○ ***De** Pedro.*

PASAR UNA LLAMADA

*Un momento, **ahora le / te paso con** él / ella.*
*Un momento, **ahora se pone**.*

TOMAR UN MENSAJE

● *¿Quiere/s dejar algún mensaje/recado?*
○ *Sí, **dígale / dile que ha llamado** Javier.*

TRANSMITIR MENSAJES DE OTROS

TRANSMITIR UNA INFORMACIÓN

Me ha dicho **que**...
Me ha contado **que**...
Me ha comentado **que**...

*Juan **me ha dicho que** no puede ir a la fiesta, que se va de fin de semana a Venecia.*

TRANSMITIR UNA PREGUNTA

Me ha preguntado **si**...
Me ha preguntado **qué / dónde / cuál / por qué / cómo / cuándo / cuánto**...

¿Eres español?
→ *Me ha preguntado **si** soy español.*

¿Cuándo os vais de vacaciones?
→ *Me ha preguntado **cuándo** nos vamos de vacaciones.*

En un registro coloquial, podemos añadir la partícula **que**.

*Me ha preguntado **(que) si** me voy a casar.*
*Me ha preguntado **(que) cuándo** será la boda.*

UNA INTENCIÓN ➕ P. 140, EJ. 7

dar las gracias (**a** alguien **por** algo)	**proponer** (algo **a** alguien)
despedirse (**de** alguien)	**protestar** (**por** algo)
felicitar (**a** alguien **por** algo)	**recomendar** (algo **a** alguien)
invitar (**a** alguien **a** algo)	**recordar** (algo **a** alguien)
pedir (algo **a** alguien)	**sugerir** (algo **a** alguien)
preguntar (**por** alguien / algo **a** alguien)	**saludar** (**a** alguien)

Para transmitir un mensaje, podemos utilizar verbos que resumen la intención del hablante.
*Julio ha llamado para **invitar a** Ricardo a cenar.*
*Ha llamado Vicente para **despedirse de** tu hermano.*
*Ha pasado tu padre. **Me ha preguntado por** ti.*

ESTRATEGIAS DE COMUNICACIÓN

CUANDO NO ENTENDEMOS ALGO
¿Puede/s repetírmelo, por favor?
¿Cómo dice/s?
No entiendo qué quiere/s decir.
Perdone/-a, pero no le/te he entendido bien.
Entonces quiere/s decir que...
¿Qué significa...?

CUANDO NO SABEMOS CÓMO DECIR ALGO
Es algo/una cosa/un objeto... que sirve para / que se parece a / que se puede encontrar en...
Es como... pero más/menos...
Es lo contrario de...
¿Cómo se dice?

CUANDO NO SABEMOS SI NOS HAN ENTENDIDO
No sé si me explico.
¿Sabe/s lo que quiero decir?

8. LLAMADAS

A. Vamos a trabajar en grupos de tres (A, B y C). Cada grupo prepara estas cuatro conversaciones telefónicas.

❶
- A y B son amigos y viven juntos.
- Llama C, que es amigo de los dos, porque quiere hablar con B para quedar con él / ella.
- A responde al teléfono.
- A y C se conocen también.

❷
- A es el padre de B.
- B llama a A para felicitarlo por su cumpleaños.
- C responde al teléfono.
- C es el hermano de B, que vive aún con sus padres.

❸
- B es recepcionista en una empresa en la que C es el director.
- A llama por teléfono porque quiere hablar con C para pedirle una cita.

❹
- C es secretario/-a en una consulta médica. Llama a A para recordarle que tiene una cita con el médico.
- Se pone al teléfono B, que es la pareja de A.
- A no está en casa.

B. Ahora, vais a representar las cuatro conversaciones.

9. TENGO UN MENSAJE PARA TI

A. Escribe una nota para el compañero que te indique el profesor. Puedes informarle de algo, invitarlo a algo, agradecerle, pedirle o preguntarle algo. Luego, entrégale la nota a tu profesor.

B. Tu profesor te va a dar la nota que un compañero ha escrito para otra persona. Tienes que transmitir el mensaje a su destinatario.

> • Olga, tengo un mensaje de Tom para ti. Te pide un libro de filosofía griega y te pregunta si...

> ¡Hola Olga!
>
> ¿Verdad que tú tienes un libro de filosofía griega?
> Es que tengo que hacer un trabajo para la semana que viene. ¿Puedes traerlo mañana?
>
> Tom

10. TABÚ ⊕ P.143, EJ. 15-16

A. Vamos a jugar al tabú. Primero vamos a dividir la clase en dos grupos (A y B). Cada grupo tiene que preparar diez tarjetas como estas. Elegid palabras que habéis aprendido a lo largo del curso.

B. El grupo A entrega una tarjeta a un miembro del grupo B, que tiene que conseguir que su grupo adivine la palabra. No se pueden usar las tres palabras que aparecen debajo. Tampoco se pueden utilizar gestos, ni sonidos, ni palabras en vuestro idioma. Si su grupo la adivina, gana un punto.

> • Es un tipo de mensaje. Es como una carta, pero llega más rápidamente. Se envía desde una cuenta que tiene cada uno.
> ○ Correo electrónico.
> • ¡Sí!

11. ¿QUÉ ESCRIBIMOS?

PEL **A.** Vas a escribir un texto, pero primero piensa un número del 1 al 5; luego, piensa otro número del 6 al 10. Ya tienes el motivo de tu mensaje y su destinatario. Ahora, elige el canal más adecuado y escríbelo.

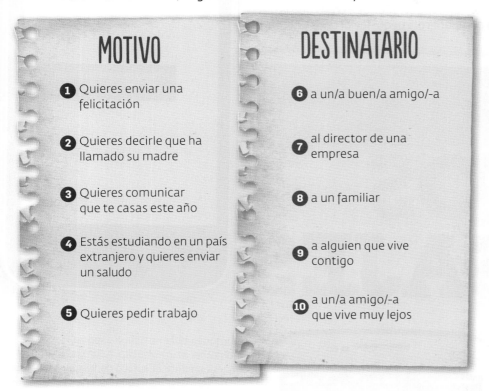

MOTIVO

1 Quieres enviar una felicitación

2 Quieres decirle que ha llamado su madre

3 Quieres comunicar que te casas este año

4 Estás estudiando en un país extranjero y quieres enviar un saludo

5 Quieres pedir trabajo

DESTINATARIO

6 a un/a buen/a amigo/-a

7 al director de una empresa

8 a un familiar

9 a alguien que vive contigo

10 a un/a amigo/-a que vive muy lejos

CANAL

Un mensaje de móvil

Un correo electrónico (o mensaje en Facebook, Twitter, etc.)

Una tarjeta

Una nota

Una carta

B. Pásale tu texto a un compañero (él te pasará el suyo). Explícale qué tipo de texto es, cuál es el destinatario y cuál es su finalidad. Después de leerlo, tenéis que intentar mejorarlo entre los dos.

- Me parece que "Hola señores" no es muy adecuado, ¿no?
- ¿Tú crees? Yo no estoy segura.

PARA COMUNICAR

| Yo creo que / Me parece que | aquí **puedes / tienes que poner...** (en vez de)... **no es muy adecuado.** aquí **falta** un pronombre / una preposición... |

¿Estás seguro/-a de que ... **es correcto / se dice así?**
No sé si esto **está bien / es correcto.**

CRITERIOS DE EVALUACIÓN

Adecuación (al destinatario y a la finalidad)	- ¿El tipo de texto es el ideal? - ¿El registro es adecuado?
Estructura	- ¿El formato es el típico / normal en estos textos? - ¿Las ideas se estructuran de forma coherente?
Léxico y gramática	- ¿Usa palabras adecuadas al registro? - ¿El léxico es variado? - ¿El texto es correcto gramaticalmente?

12. LOS NUEVOS MENSAJES ⊕ P. 141, EJ. 9; P. 142, EJ. 10-11

A. ¿Qué tipo de mensajes envías con tu móvil? ¿Los escribes de forma distinta a otro tipo de textos?

B. Mira los mensajes de los móviles. ¿Los entiendes? ¿Por qué crees que la gente escribe así? Coméntalo con un compañero. Luego, lee el texto.

LOS NUEVOS MENSAJES

¿Quién de nosotros se separa hoy en día de su móvil? ¿Quién no entra en redes sociales para dar su opinión sobre temas diversos y para chatear? Y sobre todo, ¿quién no envía mensajes a sus amigos en sus horas muertas (en el metro, en un bar, en la calle...)?

Hoy en día, estamos continuamente enviándonos mensajes. Son mensajes escritos, pero tienen características de la lengua oral: son coloquiales, cortos e instantáneos. Esta nueva forma de comunicarse ha dado lugar al nacimiento de un código de escritura basado en abreviaturas y a los llamados "emoticonos", que suplen aspectos importantes de la lengua hablada, como los gestos o la entonación.

Este sistema de abreviaturas puede poner en dificultades a los no iniciados, ya que sus reglas son muchas y muy diversas: se suprimen los artículos, los signos de exclamación e interrogación al principio de la frase, los acentos y muchas vocales, por ejemplo *msjr = mensajero*. Para ganar espacio, se reemplazan la **ch** y la **ll** por la **x** y la **y** respectivamente (la **ñ** no,

porque la tilde no ocupa espacio): *ymm = llámame; mxo = mucho.* Además, se utiliza fonéticamente el sonido de letras, símbolos y números: *salu2 = saludos; xfa = por favor; xq = por qué...*

El problema es que este código está tan difundido entre los jóvenes que ha comenzado a extenderse más allá de la pantalla del móvil: algunos profesores universitarios se han visto en la necesidad de advertir a sus estudiantes que no corregirán exámenes escritos "en SMS". ¿Por qué se ha difundido hasta tal punto esta escritura rápida? ¿Cómo se explica su persistencia cuando la mayoría de los móviles cuentan con el sistema de "texto predictivo"? Quizás la respuesta es que usar ese lenguaje no es solo una cuestión de economía, sino de identificación con el grupo. No se trata necesariamente de un fenómeno de empobrecimiento del lenguaje. Mucha gente sabe escribir correctamente, pero usa este código para comunicarse con los amigos. Es un modo más de estrechar lazos y de marcar su pertenencia al grupo.

C. Lee las opiniones de los expertos en el cuadro rojo. ¿Estás de acuerdo con lo que dicen?

D. ¿Existe en tu lengua un código parecido para los SMS? ¿En qué consiste? Escríbelo y luego preséntaselo a tus compañeros. Puedes acompañarlo de imágenes.

En un debate de La 2, algunos expertos opinaron sobre el efecto de las nuevas tecnologías en el lenguaje. Estas fueron algunas de ellas:

Los estudiantes siempre han tomado notas en clase con abreviaturas y signos fonéticos que sin embargo no usan cuando redactan un trabajo o envían una solicitud de empleo. Lo importante es dominar la lengua —que básicamente es un instrumento de comunicación— para disponer de registros lingüísticos variados que nos permitan adaptarnos a las circunstancias."
Carmen Caffarel, directora del Instituto Cervantes

Creo que el lenguaje abreviado no es una sustitución de la lengua que hablamos, sino casi otro lenguaje, en el sentido de otro código, que utilizamos. Por eso mismo no empobrece el lenguaje; es una habilidad extra, que nos sirve para comunicarnos mediante herramientas diferentes."
Marilín Gonzalo, bloguera

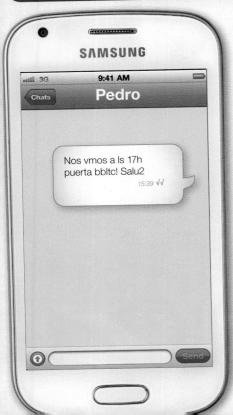

⏵ VÍDEO

⊞ EN CONSTRUCCIÓN

¿Qué te llevas de esta unidad?

Lo más importante para mí:

Palabras y expresiones:

Algo interesante sobre la cultura hispana:

Quiero saber más sobre...

Cómo voy a recordar y practicar lo que he aprendido:

LOS EMOTICONOS MÁS USADOS

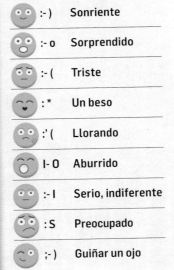

	:-)	Sonriente
	:-o	Sorprendido
	:-(	Triste
	:*	Un beso
	:'(	Llorando
	I-O	Aburrido
	:-I	Serio, indiferente
	:S	Preocupado
	;-)	Guiñar un ojo

7 MAÑANA

1. LA CIUDAD DEL FUTURO

A. Una revista ha publicado estas dos imágenes de ciudades del futuro. ¿A cuál de ellas se refiere cada una de estas frases?

- ○ Los coches volarán.
- ○ Habrá mucha contaminación.
- ○ Habrá muchos molinos de energía eólica.
- ○ Viviremos en pisos pequeños en grandes rascacielos.
- ○ Habrá muchas zonas verdes.
- ○ Las ciudades serán islas y generarán su propia energía.

B. ¿Y tú cómo te imaginas la ciudad del futuro? ¿Cuál de las afirmaciones anteriores crees que es más probable?

- Yo creo que en las ciudades del futuro no habrá más zonas verdes.
- Pues yo creo que seguramente viviremos en pisos muy pequeños.

EN ESTA UNIDAD VAMOS A
IMAGINAR CÓMO SEREMOS DENTRO DE UNOS AÑOS

¿Cómo será la ciudad del futuro?

Ya tenemos el resultado del concurso "¿Cómo te imaginas la ciudad del futuro?". Estas son las dos propuestas ganadoras.

2

COMPRENDER

2. UN FUTURO DIFÍCIL ⊕ P. 148, EJ. 15; P. 149, EJ. 16

A. ¿Cuáles crees que son los problemas más graves que tiene el mundo actualmente? Coméntalo con tus compañeros.

B. Ahora, lee el siguiente texto sobre uno de los principales problemas que amenazan a la humanidad e intenta resumirlo en un párrafo.

LA TIERRA EN PELIGRO

Uno de los peligros más graves que amenazan el mundo en el siglo xxi es el cambio climático. La temperatura media global de la Tierra está aumentando a un ritmo acelerado y eso está afectando al medio ambiente. Según los científicos, ya se están notando los efectos: aumento del nivel del mar, sequías más graves en algunos países de Asia y África, lluvias más intensas, tsunamis, grandes incendios forestales…

Si no logramos frenar el cambio climático, las consecuencias pueden ser catastróficas. Pero muchos gobiernos no están aún completa-

mente implicados en la lucha contra el cambio climático. Sobre todo algunos, que están interesados en el deshielo del Océano Ártico y en las rutas comerciales que se abrirán entre Asia y Europa (sin pasar por el Canal de Suez) si eso ocurre.

Las preguntas son obvias: ¿resistirá la Tierra el calentamiento global? ¿Hasta cuándo podremos disponer de un recurso tan necesario e importante como el agua? ¿Podremos luchar contra los intereses económicos que impiden encontrar soluciones? Lo que está claro es que tenemos que hacer algo, y pronto.

38

C. Escucha esta entrevista a una experta en el cambio climático. Marca cuáles son sus pronósticos.

- ◯ Las industrias tendrán que pagar cada vez más impuestos por la emisión de combustibles fósiles.
- ◯ En algunos países la gente tendrá que emigrar.
- ◯ En muchos países estará prohibido usar el coche.
- ◯ La gente que vive en zonas de costa estará en peligro.
- ◯ Habrá una nueva guerra mundial.
- ◯ Desaparecerán muchas especies.

D. Vais a trabajar en grupos. ¿Cuál de estas soluciones os parece mejor? ¿Tenéis otras propuestas?

- ◯ Concienciar a la sociedad sobre el impacto del calentamiento global.
- ◯ Usar menos el coche.
- ◯ Obligar a las industrias a pagar impuestos por la emisión de gases de efecto invernadero.

> • *Para nosotros, la mejor solución es…*

3. EL AÑO PERSONAL ⊕ P. 149, EJ. 17

A. ¿Qué sabes de la Numerología? ¿Sabes en qué año personal estás viviendo? Lee la primera parte de este texto y descúbrelo.

B. Ahora lee las predicciones correspondientes a tu año personal. ¿Cómo va a ser? ¿Qué cosas harás? ¿Crees que es verdad? Coméntalo con tus compañeros.

www.numerologia.dif

La Numerología

La Numerología y los años personales

La Numerología fue creada en la antigua Grecia por Pitágoras, filósofo y matemático que vivió en el siglo VI a. C. Según la Numerología, toda persona vive ciclos de nueve años. Cada uno de esos años puede ser muy diferente en cuanto a sentimientos, necesidades, objetivos…

¿Cómo sabemos en qué año personal estamos?

Debemos realizar una suma muy sencilla partiendo de la fecha de nacimiento y del año en que vivimos. Por ejemplo, si usted nació un 3 de diciembre, los números correspondientes son 3 y 12 (diciembre), que suman 15. A este número (15) le sumamos el año en el que estamos, pero reducido a una cifra. Por ejemplo: 2014 = 2 + 0 + 1 + 4 = 7. Finalmente, del número resultante (15 + 7 = 22) sumamos las cifras que lo componen (2 + 2 = 4).

AÑO PERSONAL 1

Empezará una etapa totalmente nueva. Cambiará su vida desde el punto de vista sentimental o comenzará un ciclo nuevo de libertad después de una separación. Probablemente cambiará de empleo, de residencia o de país.

AÑO PERSONAL 2

Seguramente pasarán cosas importantes en el amor y en la amistad: nuevos amigos, nueva pareja. Asimismo, durante este año podrán romperse relaciones que hasta ahora eran estables.

AÑO PERSONAL 3

Durante este año posiblemente viajará, estudiará algo nuevo… Tendrá muchas ganas de conocer cosas nuevas y de pasarlo bien. Además, tendrá éxito en el trabajo o en los estudios, pero para ello tendrá que arriesgar y ser innovador. Seguramente durante este año disfrutará de momentos muy felices.

AÑO PERSONAL 4

Probablemente este año trabajará más de lo necesario y no logrará los resultados esperados. Tendrá poco tiempo para descansar, por lo que tendrá que cuidar su salud. Eso sí, es un buen año para hacer negocios: vender la casa, por ejemplo. Posiblemente sus parientes le pedirán ayuda, y sus amigos, dinero.

AÑO PERSONAL 5

Este es un año básicamente de cambios. Seguramente cambiará de residencia, de pareja, de trabajo… Por eso, debe intentar estar tranquilo y no tomar decisiones precipitadas. Este año habrá muchas oportunidades, pero tendrá que ir paso a paso.

AÑO PERSONAL 6

Es el año de la responsabilidad. Tendrá obligaciones respecto a su familia, a su trabajo y a sus amistades. Muchas personas, en un año personal seis, comprarán una casa o la reformarán, tendrán una mascota nueva o plantarán árboles.

AÑO PERSONAL 7

Muchas personas en un año siete se encontrarán más solas que en otros años, con más tiempo para estudiar, reflexionar, tomar decisiones importantes en su vida. Si tiene hijos, probablemente este año se irán de su casa. Quizá cambiará de religión o comenzará cursos de yoga, de meditación, o se interesará por la astrología y el tarot.

AÑO PERSONAL 8

Podrá tener dificultades económicas este año, por lo que debe intentar hacer planes muy realistas al comenzarlo. Posiblemente también tendrá algún problema de salud. Cuídese. Las preocupaciones por el dinero podrán afectar a las relaciones personales.

AÑO PERSONAL 9

Este año terminará todo lo que quería hacer y probablemente no empezará nada nuevo. Es un año para tomar conciencia de los propios aciertos y errores, para recuperar la salud y para prepararse para el próximo ciclo. Es, en definitiva, un año de puntos finales. Si se ha peleado con alguien, hará las paces.

> • *Según el texto, este año cambiaré de casa, y es verdad, voy a cambiar de casa dentro de un mes.*

4. EL FUTURO ⊕ P. 144, EJ. 1-3; P. 146, EJ. 7

A. Algunos científicos han hecho las siguientes predicciones para los próximos 100 años. ¿Crees que sucederán?

1. Nada probable	2. Poco probable	3. Bastante probable	4. Muy probable	5. Seguro que sucede

- **Podremos** predecir y evitar los atascos de tráfico con modelos matemáticos.

- No **tendremos** contraseñas. Para identificarnos, **usaremos** otros métodos como el reconomiento de la retina o de la voz.

- **Haremos** *zoom* con las lentes de contacto.

- Los ordenadores **serán** muy pequeños, del tamaño de una goma de borrar.

- **Viviremos** hasta los 150 años.

- **Cultivaremos** la mayoría de los alimentos en los océanos.

- **Nos comunicaremos** con otros humanos por telepatía.

- **Habrá** una única moneda para todos los países del mundo.

- Nuestros cerebros **estarán** conectados con ordenadores.

B. Fíjate en cómo se forma el futuro y marca qué verbos del apartado anterior son regulares y cuáles son irregulares.

REGULARES			IRREGULARES
HABLAR	**COMER**	**ESCRIBIR**	**SALIR**
hablar**é**	comer**é**	escribir**é**	saldr**é**
hablar**ás**	comer**ás**	escribir**ás**	saldr**ás**
hablar**á**	comer**á**	escribir**á**	saldr**á**
hablar**emos**	comer**emos**	escribir**emos**	saldr**emos**
hablar**éis**	comer**éis**	escribir**éis**	saldr**éis**
hablar**án**	comer**án**	escribir**án**	saldr**án**

C. En parejas, intentad conjugar los verbos irregulares que habéis encontrado en el apartado A.

- *Hacer: haré, harás, hará....*
- *Haremos, haréis, harán...*

5. ANA Y LUPE ⊕ P. 145, EJ. 4; P. 148, EJ. 13-14

A. Ana es una persona muy optimista; en cambio Lupe es muy pesimista. ¿Quién crees que ha dicho las siguientes frases?

	Ana	Lupe
Si voy a la fiesta, seguro que me aburriré.		
Si voy a la fiesta, me lo pasaré muy bien.		
Si vamos en coche, podremos ver el paisaje.		
Si vamos en coche, llegaremos muy cansados.		
Si vamos a Finlandia, podremos ver la aurora boreal.		
Si vamos a Finlandia, pasaremos mucho frío.		

B. Para expresar una condición sobre el futuro podemos usar esta estructura. Completa los espacios con los tiempos verbales.

Si + ... , ...

C. Ahora continúa estas frases teniendo en cuenta la personalidad de Ana y Lupe.

1. Ana: "Si dejo este trabajo, ... "

2. Lupe: "Si dejo este trabajo, ... "

3. Ana: "Si compro la lotería, ... "

4. Lupe: "Si compro la lotería, ... "

5. Ana: "Si llueve mañana, ... "

6. Lupe: "Si llueve mañana, ... "

6. DEPENDE DE SI... ⊕ P. 145, EJ. 5

A. Fíjate en estas formas de expresar condición. ¿Entiendes cuándo usamos **depende de** y cuándo **depende de si**?

1
- ¿Vais a ir de vacaciones a Japón?
- No sé, **depende del** dinero.

2
- ¿Vais a ir a la playa el domingo?
- **Depende de si** hace buen tiempo.

B. Imagina que te hacen estas preguntas. Escribe tus respuestas.

1.
- ¿Vas a hacer algún viaje al extranjero este año?
- No sé, **depende** ....

2.
- ¿Vas a salir este fin de semana?
- No sé, **depende** ....

3.
- ¿Vas a ir al cine esta semana?
- No sé, **depende** ....

4.
- ¿Vas a seguir estudiando español?
- No sé, **depende** ....

7. SEGURAMENTE

39

A. Irene se va a ir a vivir a Australia. Escucha la conversación que tiene con un amigo y contesta las siguientes preguntas.

- ¿Qué hará allí?
- ¿Tiene miedo de algo?
- ¿Piensa seguir estudiando? ¿Cuándo?

B. ¿Qué tienen en común estas frases de la conversación? Coméntalo con tu compañero.

- Seguramente no <u>podré</u> viajar mucho porque no <u>tendré</u> dinero.
- Supongo que <u>será</u> fácil encontrar una granja para trabajar como voluntaria.
- Creo que <u>buscaré</u> trabajo como voluntaria en algún proyecto.
- Probablemente <u>me dedicaré</u> a aprender bien inglés.
- Estoy segura de que <u>me encantará</u>.
- Seguro que <u>aprenderás</u> un montón.
- Posiblemente <u>pediré</u> un visado de estudiante y estudiaré allí.

C. Completa estas frases hablando de tus planes para el próximo año. Piensa en tu familia, tu trabajo, tus estudios, tu vivienda...

Seguramente ....

....

Supongo que ....

....

Creo que ....

....

Estoy seguro/-a de que ....

....

Posiblemente ....

....

Seguro que ....

....

8. LA AGENDA DE PAULA ⊕ P. 146, EJ. 8

A. Hoy es el día 20 de mayo. Mira los documentos de Paula y completa estas frases con sus planes para el futuro.

1. Pasado mañana ....
....

2. Este sábado ....
....

3. El martes que viene ....
....

4. Dentro de tres meses ....
....

B. ¿Y tú? ¿Tienes planes para los próximos meses? Cuéntaselos a tus compañeros.

- *Yo la próxima semana voy a hacer un curso de fotografía.*

lunes 19 de mayo

martes 20 de mayo

miércoles 21 de mayo

jueves 22 de mayo
por la tarde: compras con mamá

viernes 23 de mayo

sábado 24 de mayo
cine con Delia y Juan

domingo 25 de m...

lunes 26 de mayo

martes 27 de mayo
20 h: exposición de fotografías de Manu

miércoles 28 de mayo

jueves 29 de mayo

viernes 30 de mayo

sábado 31 de mayo

From: no-reply@vueling.com
Subject: Vueling / E-mail recordatorio
Date: 14 Sep 2013 06:30
To: paula@aula.es

vueling

Te recordamos que pronto vas a volar

Hola Paula
Te recordamos que el próximo viernes 15/08 saldrá tu vuelo con destino **Atenas**

Teléfono de información sobre tu vuelo:
902 808 005 - 0-24h. todos los días (desde España)

Número de confirmación: **H6QWXM**

Detalles de tu reserva

de Madrid, España a Atenas, Grecia

	Salida	Llegada
IB5827 Vueling Líneas Aéreas	06:30, vie 15 de agosto	10:45, vie 15 de agosto

HABLAR DEL FUTURO

Podemos referirnos al futuro usando el presente de indicativo cuando presentamos el resultado de una decisión firme o queremos garantizar el cumplimiento de una acción.
*No te preocupes. Mañana se lo **digo**.*

También podemos referirnos al futuro mediante la construcción **ir a** + infinitivo, normalmente para hablar de decisiones, de planes o de acciones futuras muy vinculadas con el momento en el que hablamos.
- *¿Qué **vais a hacer** este fin de semana?*
- ***Vamos a ir** a la playa.*

Usamos el futuro imperfecto cuando queremos hacer predicciones sobre el futuro.
*Este año **tendrás** dificultades económicas.*
*Mañana **subirán** las temperaturas.*

FUTURO IMPERFECTO

El futuro imperfecto se forma añadiendo las siguientes terminaciones al infinitivo.

VERBOS REGULARES

	HABLAR
(yo)	hablar**é**
(tú)	hablar**ás**
(él/ella/usted)	hablar**á**
(nosotros/nosotras)	hablar**emos**
(vosotros/vosotras)	hablar**éis**
(ellos/ellas/ustedes)	hablar**án**

VERBOS IRREGULARES

tener	→ **tendr-**	venir	→ **vendr-**		-é
salir	→ **saldr-**	hacer	→ **har-**		-ás
haber	→ **habr-**	decir	→ **dir-**	+	-á
poner	→ **pondr-**	querer	→ **querr-**		-emos
poder	→ **podr-**	saber	→ **sabr-**		-éis
					-án

MARCADORES TEMPORALES PARA HABLAR DEL FUTURO

mañana	esta mañana / tarde / noche / semana / ...
pasado mañana	dentro de dos años / unos años / ...
el sábado	el lunes / mes / año / ... que viene
este jueves/año / mes / siglo / ...	el lunes / mes / año / ... próximo

***El año que viene** acabaré la carrera.*
***Dentro de dos años** por aquí pasará una carretera.*

RECURSOS PARA FORMULAR HIPÓTESIS SOBRE EL FUTURO

Seguramente	
Probablemente	
Posiblemente	+ futuro imperfecto
Seguro que	
Supongo que	

***Seguramente** llegarán tarde.*
***Probablemente** volverán muy cansados después de la excursión.*
*El PJN **posiblemente** ganará las elecciones.*
***Seguro que** nos veremos pronto.*
***Supongo que** iremos de vacaciones a Mallorca, como siempre.*

EXPRESAR UNA CONDICIÓN

SI + PRESENTE, FUTURO
***Si estudias** todos los días, **aprobarás** el examen.*

SI + PRESENTE, PRESENTE
***Si llueve** mañana, **me quedo** en casa.*

DEPENDE DE + SUSTANTIVO
- *¿Vendrás a Ibiza?*
- *No sé... **Depende de** mi trabajo.*

DEPENDE DE SI + PRESENTE DE INDICATIVO
- *¿Saldrás del trabajo a las seis?*
- ***Depende de si** termino el informe.*

¿Qué vas a hacer este fin de semana?

Depende. Si hay nieve, iremos a esquiar, pero si no, nos quedaremos en casa.

9. ¿QUÉ CREES QUE HARÁ?

Francisco está de vacaciones en su casa de Mallorca. ¿Qué crees que hará
en cada una de estas situaciones? Coméntalo con tu compañero.

1. Si mañana hace mal tiempo…
2. Si llegan sus padres por sorpresa a pasar un par de días…
3. Si esta noche conoce a una chica interesante…
4. Si toma demasiado el sol y se quema…
5. Si esta noche va al casino y gana 100 000 euros…
6. Si le llama su jefe y le dice que tiene que volver a trabajar…

> • Si mañana hace mal tiempo, supongo que
>   se quedará en casa leyendo o viendo la tele.

10. LOS EXPERTOS OPINAN ⊕ P. 146, EJ. 9

A. Estas son algunas de las predicciones que los científicos
han hecho para el futuro. ¿Con cuáles de ellas estás más de acuerdo?
Coméntalo con tu compañero.

> • Yo también pienso que las lenguas minoritarias desaparecerán, porque…
> ○ Hombre, eso depende de los gobiernos. Si…

Las lenguas minoritarias desaparecerán.
Solo habrá libros electrónicos.
Se producirán grandes catástrofes naturales.
Habrá transporte aéreo individual.
El consumo de drogas será legal en casi todos los países.
No habrá pensiones de jubilación.
Las tabletas desaparecerán.

(PEL) B. ¿Qué otras cosas creéis que sucederán? En
grupos, elegid uno de estos temas u otro y escribid
vuestros pronósticos para el futuro.

Transporte	Trabajo
Familia	Educación
Medio ambiente	Salud

C. Presentádselo al resto de la clase. ¿Están de
acuerdo con vuestras predicciones?

11. EL FUTURO DE EVA

P. 148, EJ. 12

40

A. Eva ha ido a ver a una adivina para saber cómo será su futuro. Escucha la conversación. ¿Cuáles de las siguientes cosas predice la adivina? Márcalo.

- Vivirá en un país extranjero.
- Será muy rica.
- Será famosa.
- Volverá a la universidad dentro de unos años.
- Tendrá dos hijos.
- Será feliz en su vejez.
- Conocerá a una persona que la querrá mucho.
- Vivirá en el campo.

B. Ahora vamos a imaginar cómo seremos dentro de 25 años. En parejas, vais a escribir cómo será la vida de dos compañeros de la clase. Primero, tenéis que hacerles preguntas para conocerlos mejor. Tened en cuenta los siguientes aspectos:

> Familia
> Trabajo
> Aspecto físico
> Situación económica
> Lugar de residencia
> ...

- ¿Te gustaría vivir en un país extranjero?
- ○ Sí, en Estados Unidos, en Nueva York.
- ¿Quieres casarte algún día?
- ○ Sí, pero depende de si conozco a alguien...

 C. Escribid predicciones para vuestros compañeros.

> Dentro de 25 años Roberta será muy rica porque será la directora de una empresa multinacional. Vivirá en un apartamento precioso en Manhattan con su marido...

D. Ahora, leed vuestras predicciones a toda la clase. ¿Están de acuerdo vuestros compañeros?

- Nosotros creemos que dentro de 25 años Roberta será muy rica porque...

12. UNA CANCIÓN DE DESAMOR

A. Lee la letra de esta canción. ¿Quiénes son los protagonistas? ¿Qué crees que les pasa?

 B. ¿Cuál de las tres estrofas crees que es el estribillo? Escucha la canción en internet y compruébalo.

Un año de amor
Luz Casal

Lo nuestro se acabó
y te arrepentirás
de haberle puesto fin
a un año de amor.
Si ahora tú te vas
pronto descubrirás
que los días son eternos
y vacíos sin mí.

Y de noche, y de noche,
por no sentirte solo
recordarás nuestros días felices,
recordarás el sabor de mis besos,
y entenderás en un solo momento
qué significa un año de amor.

¿Te has parado a pensar
lo que sucederá,
todo lo que perderemos
y lo que sufrirás?
Si ahora tú te vas,
no recuperarás
los momentos felices
que te hice vivir.

"Un año de amor" es una versión en español de la canción italiana "Un anno d'amore", que popularizó la cantante Mina. Con esta canción, Luz Casal contribuyó a la banda sonora de la película *Tacones lejanos*, de Pedro Almodóvar, que tuvo un enorme éxito en España durante los años noventa.

C. ¿En grupos, escribid vuestra versión de la canción.

Lo nuestro se acabó
Y te arrepentirás
de ....
....
....

Si ahora tú te vas
pronto descubrirás
que ....
....
....

Y de noche, y de noche,
por no sentirte solo
recordarás ....
recordarás ....
y entenderás ....
....
....

¿Te has parado a pensar
lo que sucederá,
todo lo que perderemos
y lo que sufrirás?
Si ahora tú te vas,
no recuperarás

....
....
....

D. Escuchad otras canciones de Luz Casal. Elegid una que os guste y ponedla en clase. Explicad a vuestros compañeros por qué os gusta.

▶ VÍDEO

⊞ EN CONSTRUCCIÓN

¿Qué te llevas de esta unidad?

Lo más importante para mí:
....
....

Palabras y expresiones:
....
....

Algo interesante sobre la cultura hispana:
....
....

Quiero saber más sobre...
....
....

Cómo voy a recordar y practicar
lo que he aprendido:
....
....

8

VA Y LE DICE...

→ EMPEZAR

1. CONTAR COSAS ES HUMANO
⊕ P. 154, EJ. 16

A. Una revista ha publicado un reportaje sobre el placer de narrar. ¿Qué crees que cuentan las personas que ves en las fotografías?

- un chiste
- un cotilleo
- el argumento de una película
- un episodio de una serie

 **B.** Escucha fragmentos de las conversaciones y comprueba.

41-44

2:15 AM

EL PLACER DE NARRAR... Y DE ESCUCHAR

El filósofo José Antonio Marina publicó un artículo en *La Vanguardia* titulado "El arte de narrar", en el que decía que los seres humanos sentimos la necesidad de contar y escuchar historias, porque nuestro cerebro es esencialmente social.

EN ESTA UNIDAD VAMOS A
ESCRIBIR LA SINOPSIS DE UNA PELÍCULA

RECURSOS COMUNICATIVOS
- relatar en presente
- resumir el argumento de un libro o una película
- contar anécdotas
- entender chistes

RECURSOS GRAMATICALES
- algunos conectores para relatar: **(y) entonces**, **en aquel momento**, **al final**, **de repente**, **de pronto**, etc.
- **porque**, **como**, **aunque**, **sin embargo**
- la forma y los usos de los pronombres de OD y OI

RECURSOS LÉXICOS
- géneros (cine, televisión, literatura...)
- léxico del cine y la televisión

Afirmaba también que dedicamos gran parte de nuestras conversaciones a cotillear, ya que nos encanta saber cosas sobre la vida de los demás.

Piense por un momento en las conversaciones que mantuvo ayer. ¿Habló con un amigo de lo que le ha ocurrido hace poco a otro amigo? ¿Le contó a alguien una película que ha visto recientemente? ¿Le leyó un cuento a su hijo? ¿Algún compañero de trabajo le contó un chiste? O, si no, salga a la calle y mire a su alrededor: en una plaza, en un bar, en el metro... siempre verá a gente hablando y contándose cosas.

COMPRENDER

2. CLÁSICOS ⊕ P. 150, EJ. 1

A. Un periódico ha hecho una encuesta entre sus lectores para saber cuál es su película preferida basada en una obra de la literatura universal. Estos son los resultados. ¿Has visto alguna de estas películas? ¿Has leído los libros?

> • *Yo, de adolescente, leí casi todos los libros de Harry Potter.*
> ○ *Pues yo he visto casi todas las películas. Son muy divertidas.*

El ranking de nuestros lectores

14.256 VOTOS
Basada en *El señor de los anillos* de J. R. R. Tolkien

12.315 VOTOS
Basada en *Frankenstein* de Mary Shelley

12.208 VOTOS
Basada en *Harry Potter* de J. K. Rowling

10.986 VOTOS
Basada en *La sirenita* de Hans Christian Andersen

10.123 VOTOS
Basada en *La Ilíada* de Homero

9.489 VOTOS
Basada en *Romeo y Julieta* de William Shakespeare

9.325 VOTOS
Basada en *2001, una odisea espacial* de Arthur C. Clarke

8.164 VOTOS
Basada en *El nombre de la rosa* de Umberto Eco

7.002 VOTOS
Basada en *El caso Bourne* de Robert Ludlum

6.975 VOTOS
Basada en *L.A. Confidential* de James Ellroy

B. ¿Sabes de qué género son las películas anteriores?

PARA COMUNICAR	
una película	**de** amor / **de** aventuras / **de** ciencia ficción / **de** dibujos animados / **de** acción / **de** terror / **del** oeste policíaca / histórica / romántica
una comedia	
un drama	

C. Vas a escuchar a dos personas hablando de dos de estas películas. Toma notas: ¿de qué película hablan? ¿Cuál es el argumento de la película?

D. ¿Cuáles son tus películas favoritas? ¿De qué género son? Resume el argumento a tus compañeros.

> • *Una de mis películas favoritas es X-Men 2. Es una película de ciencia ficción y de acción muy buena. Va de...*

> • *La sirenita es una película de dibujos animados, ¿no?*

3. ¿QUÉ PONEN HOY? ⊕ P. 150, EJ. 3

A. Esta semana en las televisiones españolas puedes ver algunos de estos programas. ¿Qué tipo de programas son? Coméntalo con tus compañeros.

ESTA SEMANA RECOMENDAMOS...

SALVADOS
Domingo, a las 21:30 h | laSexta

Nueva temporada de Salvados. En este primer programa, Jordi Évole entrevista al periodista y escritor Arturo Pérez-Reverte, que hablará de la actitud de los españoles ante la crisis y del "miedo de los españoles al cambio".

PASAPALABRA
De lunes a viernes, a las 20 h | Telecinco

Programa presentado por Christian Gálvez. Esta semana en Pasapalabra hay nuevos invitados: María Esteve y Leticia Dolera. ¿Conseguirán los concursantes adivinar todas las palabras de la última prueba y llevarse el bote?

ISABEL
Lunes, a las 22:30 h | tve1

Serie histórica situada en la época de los Reyes Católicos, Fernando e Isabel. En el capítulo de esta semana, la reina Isabel descubre que su marido le ha sido infiel con una de sus damas, Beatriz de Osorio. Además, los reyes deciden implantar la Inquisición.

FÚTBOL: EL CLÁSICO
Sábado, a las 21:00 h | tve1

Partido de liga entre el Fútbol Club Barcelona y el Real Madrid en el Santiago Bernabéu. Es la primera vez que se enfrentan en esta liga.

LOS SIMPSON
De lunes a viernes, a las 14 h | Antena 3

Las peripecias de una familia americana de clase media: Homer y Marge y sus tres hijos, Bart, Lisa y Maggie.

INFORME SEMANAL
Sábado, a las 23:30 h | tve1

Informe Semanal ha estado en Lampedusa y ha hablado con algunos de los supervivientes y de los testigos de la tragedia vivida por los emigrantes ilegales. ¿Qué puede hacer la UE para evitar una nueva tragedia?

CORAZÓN
De lunes a viernes, a las 14:30 h | tve1

Programa presentado por Elena S. Sánchez y Carolina Casado, con información sobre la vida de los famosos, noticias sobre eventos sociales y reportajes sobre el mundo de la moda.

EL DOCUMENTAL DE LA 2: MARÍA Y YO
Viernes, a las 22h | La 2

Esta semana, documental sobre el autismo: la historia de Miguel Gallardo, autor del cómic *María y yo*, y su hija autista.

 B. ¿Qué programa te gustaría ver? ¿Por qué? Si necesitas más información, puedes buscarla en internet.

C. ¿Qué tipo de programas te gustan más? ¿Cuáles sueles ver en tu país?

> • *Yo solo veo películas y a veces algún reportaje interesante.*
> ◦ *Pues a mí me gustan los informativos y los programas sobre política. En mi país tenemos uno que se llama…*

PARA COMUNICAR

un programa **de** actualidad / **de** entrevistas / **de** humor

un programa musical	una película
un concurso	una serie
un magacín	una retransmisión deportiva
un documental	dibujos animados
un informativo	

4. UNA NOVELA
⊕ P. 150, EJ. 4; P. 152, EJ. 8

A. *El tiempo entre costuras* es una novela de mucho éxito en España. Lee su argumento y ordena estos hechos.

- ◯ Se queda sola en Tánger y debe dinero.
- ◯ Su padre le da dinero.
- ◯ Monta su propio negocio en Tetuán.
- ◯ Se convierte en espía para los ingleses.
- ◯ Se marcha de España con Ramiro.

http://blogdelibrosmasvendidos.blogspot.com.es/

MARÍA DUEÑAS

El tiempo entre costuras

Una traición y dos guerras devastaron su pasado, una identidad encubierta la precipitó al futuro

El tiempo entre costuras
Amor y misterio en época de guerras

Sira es costurera y vive con su madre en Madrid, en los años previos a la guerra civil. Su vida cambia cuando se enamora de Ramiro, un vendedor de máquinas de escribir: rompe su compromiso con su novio y se va a vivir con él. Un día, su madre <u>le</u> dice que su padre quiere conocer**la**. Sira descubre entonces que su padre es un ingeniero de buena familia que **las** abandonó cuando su madre se quedó embarazada. Cuando **lo** conoce, su padre <u>le</u> pide disculpas por lo que hizo y <u>le</u> da un sobre con dinero y unas joyas, diciéndo<u>le</u> que esa es su herencia. Ese mismo día, Sira **se lo** entrega todo a Ramiro, en quien confía ciegamente.

Poco antes del inicio de la guerra civil, Ramiro y Sira se van a vivir a Tánger. Durante un tiempo, viven allí felizmente, pero, un día, Ramiro **la** abandona, dejándo<u>le</u> solo una carta en la que <u>le</u> pide perdón. Sira se da cuenta de que las joyas de la familia de su padre han desaparecido: Ramiro **se las** ha robado.

Sola y desesperada, se traslada a Tetuán. Allí monta un taller de alta costura para poder pagar las deudas que <u>le</u> ha dejado Ramiro. Es así como entra en contacto con personas de la diplomacia europea, como Rosalinda Fox –la amante de un general español–, o Marcus Logan, un misterioso periodista inglés. Sira **los** ve con frecuencia y empieza poco a poco a moverse en un mundo de conspiraciones y espionaje. Un día, su amiga Rosalinda <u>le</u> propone abrir un taller de costura en Madrid con el objetivo de espiar a las mujeres de los nazis que viven en la capital. Sira **lo** hace y, durante meses, trabaja para los ingleses y <u>les</u> facilita toda la información que consigue. Pero su misión se complica en un viaje que tiene que hacer a Portugal...

B. Fíjate en el tiempo verbal que se usa en los textos. Es el mismo que se usa en la mayoría de resúmenes de películas, programas de televisión y series. ¿Es igual en tu lengua?

C. Escribe en estos cuadros a qué se refieren los pronombres de OD (marcados en negrita en el texto) y los pronombres de OI (que están subrayados en el texto).

PRONOMBRES DE OD

UNA COSA O PERSONA (MASCULINA SINGULAR): LO	Cuando **lo** conoce → ....
UNA COSA O PERSONA (FEMENINA SINGULAR): LA	Ramiro **la** abandona → ....
UNA FRASE O UNA PARTE DEL DISCURSO: LO	Sira **lo** hace → ....
UNA COSA O PERSONA (MASCULINA PLURAL): LOS	Sira **los** ve con frecuencia → ....
UNA COSA O PERSONA (FEMENINA PLURAL): LAS	**las** abandonó → ....

PRONOMBRES DE OI

UNA COSA O PERSONA (SINGULAR): LE	su padre <u>le</u> pide disculpas → ....
UNA COSA O PERSONA (PLURAL): LES	<u>les</u> facilita toda la información que consigue → ....

D. Ahora fíjate en la frase "Ramiro se las ha robado". ¿A quién se refiere **se**?

5. SINOPSIS ⊕ P. 150, EJ. 2

A. Lee las sinopsis de estas películas. ¿Te gustaría ver alguna? ¿Por qué?

LAS PELÍCULAS MÁS DIVERTIDAS DEL CINE ESPAÑOL

LAS CLÁSICAS

Mujeres al borde de un ataque de nervios (1988), Pedro Almodóvar
Pepa e Iván son pareja y se dedican al doblaje de películas. Cuando Iván la deja, ella decide marcharse y alquilar la casa en la que vivían. **Sin embargo**, no sabe que los inquilinos serán Carlos, el hijo de Iván y Marisa, su novia.

El día de la bestia (1995), Álex de la Iglesia
Un sacerdote cree que el Anticristo nacerá en Madrid el 25 de diciembre de 1995. **Como** está convencido de que debe impedirlo, se une a Jose Mari, un aficionado al death metal, y al profesor Cavan, un especialista en el mundo esotérico, para averiguar en qué lugar de Madrid nacerá el Anticristo.

LAS MÁS RECIENTES

Fuga de cerebros (2009), Fernando González Molina
Emilio es un chico tímido, malo en los estudios y sin éxito con las chicas. Está enamorado de Natalia, una chica de su instituto. El último día de curso se decide a decírselo, **pero** se entera de que ella se va a ir a estudiar a Oxford. **Aunque** parece imposible, Emilio consigue ir también a esta universidad.

Primos (2011), Daniel Sánchez Arévalo
Diego se va a Comillas (Cantabria) con sus primos **porque** su novia lo ha dejado poco antes de la boda. **Aunque** el plan es ir a emborracharse y pasárselo bien, este viaje les hará replantearse el sentido de su vida. Además, Diego intentará recuperar a Martina, su primer amor.

B. Fíjate en los conectores marcados en negrita. ¿Cuáles crees que sirven para expresar la causa de un acontecimiento? ¿Cuáles expresan un contraste entre ideas?

C. Estas son dos sinopsis de otras películas españolas. Subraya los conectores adecuados.

En la ciudad sin límites
(2002), Antonio Hernández
Víctor llega a París, donde toda la familia se ha reunido **porque / sin embargo / como** el padre se está muriendo. Víctor sorprende un día a su padre tirando su medicación e intentando escapar de la clínica. **Aunque / Sin embargo / Pero** el padre intenta esconder lo que está sintiendo, Víctor decide investigar por su cuenta y descubre un secreto oculto durante años.

El laberinto del Fauno
(2006), Guillermo del Toro
En el año 1944, Ofelia, una niña de 13 años, se traslada a un pueblo a vivir con el nuevo marido de su madre, un capitán del ejército franquista. **Aunque / Como / Porque** se siente muy sola, se refugia en su imaginación. Una noche, descubre las ruinas de un laberinto y se encuentra con un fauno, que le dice que ella es una princesa que debe volver a su reino mágico. **Sin embargo / Como / Aunque**, la misión no será fácil. Una historia emocionante, en la que se mezclan fantasía y realidad.

6. ¿DE QUÉ VA?

A. Vas a escuchar a una persona hablando de una serie de la televisión española. Elige las opciones correctas.

Cuéntame cómo pasó

- **Va de** una familia / de un grupo de amigos adolescentes / de un policía .

- La serie **cuenta** la historia de los Alcántara en la España de los años 40 y 50 / 60 y 70 / 60 y 80 .

- **Es de tema** religioso / histórico y social / policíaco .

- **Sale** Ana Duato, que **hace el papel de** hija / abuela / madre de familia .

- **Los actores son** muy malos / poco conocidos / muy buenos .

- La serie **está** muy bien / muy mal .

- **Está ambientada en** Madrid / Ceuta / Barcelona .

- **Vale la pena**, sobre todo la última temporada / las primeras temporadas / los primeros capítulos .

B. Fíjate en las expresiones marcadas en negrita en el apartado anterior. ¿Cómo las traducirías a tu lengua?

7. CHISTES ⊕ P. 153, EJ. 12-13

A. Lee este chiste. ¿Lo entiendes? ¿Te hace gracia?

Resulta que están jugando al fútbol el equipo de los elefantes contra el equipo de los gusanos. Cuando faltan diez minutos para acabar el partido, los elefantes van ganando 50-0. **De repente**, anuncian un cambio en el equipo de los gusanos y sale el ciempiés. El ciempiés mete un gol tras otro y el partido acaba 50-100.
Al final, un elefante se acerca a un gusano y le dice:
• ¡Qué gran jugador! ¿Por qué no lo habéis sacado antes?
○ **Es que** estaba terminando de atarse los zapatos...

B. Fíjate ahora en las palabras que están en negrita. Son conectores y sirven para enlazar ideas, acontecimientos, etc. ¿Podrías colocar los conectores adecuados en estas frases?

1. Hoy no podré a ir a clase, ... tengo que ir al médico.

2. Estaba en el sofá y .... llamaron a la puerta.

3. Intenté hablar con el director muchas veces, y no pude, pero .... conseguí reunirme con él.

4.
• ¡A que no sabes qué me ha pasado!
○ No.
• Pues .... he ido a casa de Ana y cuando he llegado...

RELATAR EN PRESENTE

Cuando resumimos obras de ficción o contamos chistes, o a veces cuando relatamos anécdotas, usamos el presente.
Es una película muy buena. **Va** de una chica muy tímida que **trabaja** en un café y un día **conoce** a....
Están tres hormigas bailando debajo de una palmera y, de repente, **cae** un coco...
¿Sabes qué me pasó ayer? Pues nada, que **salgo** de clase y **me encuentro** con Clara.

CONECTORES   P. 152, EJ. 9; P. 153, EJ. 11

Para organizar un relato utilizamos conectores.

Conectores que secuencian la acción:

de repente de pronto	(y) entonces en aquel momento	al final

La chica está en una tienda y **de repente** entran unos atracadores. **En aquel momento** pasa por allí un coche de policía y los polis se paran. **Entonces**...

Conectores que explican la causas de los acontecimientos:

como	porque	es que*

Sira se va a Tánger con Ramiro **porque** está enamorada de él.
Como está enamorada de Ramiro, se va a Tánger con él.

*__Es que__ se usa en la lengua oral para introducir una justificación.

- ¿No has visto el capítulo de hoy?
- No, **es que** estaba terminando de preparar la cena.

Conectores para expresar el contraste entre ideas:

pero	sin embargo	aunque

El padre de la protagonista se opone a su relación con Tomás, **sin embargo** ellos siguen viéndose en secreto.
Aunque el padre de la protagonista se opone a su relación con Tomás, ellos siguen viéndose en secreto.

PRONOMBRES DE OD Y DE OI
 P. 150, EJ. 5; P. 151, EJ. 6-7; P. 152, EJ. 10

Cuando un elemento ya ha sido mencionado o está claro por el contexto, para no repetirlo usamos los pronombres de OD y de OI.

OBJETO DIRECTO (OD)

El objeto directo es la persona o cosa que recibe de manera directa la acción expresada por el verbo.
- ¿Qué sabes __del último libro de Mendoza__?
- No **lo** he leído, pero dicen que está muy bien.

- Hoy Rosa me ha contado __unos chistes muy buenos__.
- Sí, a mí también me **los** ha contado.

- ¿Y __Laura__?
- Ayer **la** vi, está muy bien.

- ¿Y __las revistas__?
- **Las** he dejado en mi habitación.

Los pronombres aparecen también cuando el OD es mencionado antes del verbo.
__Al protagonista__ de la novela **lo** meten en la cárcel.

En la película __la historia__ **la** cuenta una abuela.

El pronombre de OD **lo** también puede sustituir toda una frase o una parte del discurso.
- ¿Te ha tocado la lotería?
- Sí, pero nadie **lo** sabe.

 La forma **lo** también puede sustituir al atributo de verbos como **ser**, **estar** o **parecer**.
Ana ahora es muy simpática, pero antes no **lo** era.

OBJETO INDIRECTO (OI)

El objeto indirecto es la persona (y con menos frecuencia, la cosa) destinataria final de la acción del verbo.
- ¿Marcos sabe que estás aquí?
- No, no **le** he dicho nada todavía.

He ido a casa de __mis padres__ y **les** he llevado un regalo.

En español casi siempre usamos los pronombres de OI incluso cuando no hemos mencionado antes el elemento al que se refieren.
¿Qué **le** has comprado __a Marta__ por su cumpleaños?
Todas las noches **les** cuento un cuento __a mis hijos__.

Cuando los pronombres de OI **le** o **les** aparecen junto a los de OD, se convierten en **se**.
- ¿**Le** has contado **el chiste** a Ana?
- Sí, ya **se lo** conté ayer.

- ¿**Les** has dicho **que nos vamos**?
- No. ¿**Se lo** puedes decir tú?

LÉXICO: HABLAR DE GÉNEROS   P. 155, EJ. 17-20

UNA PELÍCULA
una película de aventuras / **de** animación / histórica...
un musical / un documental / un drama / una comedia

UN PROGRAMA DE TELEVISIÓN
una programa de actualidad / **de** humor / musical...
un concurso / un magacín / un documental / un informativo

LITERATURA
una novela de ciencia ficción / **de** misterio / **de** terror / policíaca...
un cuento / un relato corto / una obra de teatro / un libro de poesía

8. ¿QUÉ HACES CUANDO...? ⊕ P. 155, EJ. 18-19

¿Cómo actúas en estas situaciones? Coméntalo con tu compañero. ¿Él hace lo mismo?

Cuando empiezo un libro y me parece horrible...

Cuando veo una película y me gusta mucho...

Cuando me dejan libros o discos...

Cuando alguien me cuenta un secreto...

Cuando me hace gracia un chiste...

Cuando no me gusta el/la novio/-a de un/-a amigo/-a...

Cuando me piden un libro o una película...

Cuando no entiendo una palabra en español...

Cuando tengo un problema grave...

Cuando encuentro algo que no es mío...

Cuando no sé cómo ir a un lugar en la ciudad en la que estoy...

Cuando un amigo íntimo me pide dinero...

PARA COMUNICAR

a veces normalmente siempre no nunca	le/se les/se	lo la los las

recomiendo
pregunto
digo
digo la verdad
devuelvo
acabo
busco
comento
vuelvo a ver / leer
dejo
pido consejo

a mis amigos/-as
a mis compañeros/-as
a mis padres
a mi profesor
a alguien en la calle
a nadie
a todo el mundo

- • Yo, cuando empiezo un libro y me parece horrible, normalmente lo dejo, no lo acabo.
- ○ Pues yo normalmente lo acabo.

9. Y ENTONCES...

A. Aquí tenéis el principio de una historia. Entre todos vais a inventar la historia completa y os vais a grabar contándola. El profesor decide por turnos quién continúa. En cada intervención deberéis usar como mínimo uno de los siguientes conectores: **de repente**, **(y) entonces**, **como**, **porque**.

B. Escuchad la grabación. ¿Tiene sentido la historia? ¿Es divertida? ¿Cómo podéis mejorarla?

ES UN DÍA DE JULIO Y HACE MUCHO CALOR. MARIO SE DESPIERTA DESPUÉS DE LA SIESTA CON MUCHA SED. VA A LA COCINA A BEBER UN VASO DE AGUA Y...

10. ADIVINA, ADIVINANZA

A. Formad equipos. Cada equipo piensa en cinco títulos de películas, obras de teatro, cuentos o novelas. Tienen que ser muy conocidos. Vuestro profesor os ayudará a saber cuál es el título en español.

B. Ahora vais a preparar cinco tarjetas con el argumento de las obras que habéis pensado.

C. Leedles vuestras tarjetas a otro equipo. Si adivinan de qué obra se trata, ganan un punto, si no, no se suma ningún punto.

ADIVINA ADIVINANZA

CINE

Es una película musical ambientada en el París de 1900. Cuenta la historia de una bailarina de un famoso cabaret, que quiere convertirse en actriz y que se enamora de un joven escritor.

11. GUIONISTAS

 A. Imaginad que vais a hacer una película. En parejas, elegid uno de estos títulos u otro que os guste y preparad un resumen detallado de la historia, de diez líneas como mínimo.

- ¿Te gusta alguno de estos títulos?
- No sé. ¿Qué te parece "Las españolas los prefieren rubios?"
- Sí, vale. ¿Y de qué puede ir?
- Es la historia de un chico rubio que...

B. Para la producción de la película, tenéis que decidir los siguientes puntos.

- Qué actores y actrices necesitáis
- En qué localizaciones grabaréis las escenas
- Quién será el director o la directora
- Qué música usaréis como banda sonora

C. Ahora tenéis que presentar vuestra película al resto de compañeros.

PÁNICO EN LA CLASE DE ESPAÑOL
AMOR EN LAS AULAS
2026, ODISEA EN EL AULA
LOCA ACADEMIA DE ESPAÑOL III
CANTANDO BAJO EL SOL
LA ALUMNA QUE SABÍA DEMASIADO
TODO SOBRE MI GATO
LAS ESPAÑOLAS LOS PREFIEREN RUBIOS

Piensa en:
El / la protagonista y los personajes principales
El lugar o lugares donde ocurre la historia
El argumento

PARA COMUNICAR

La película **se titula**...
Está ambientada en...
El / la protagonista **es**...

La historia **ocurre / pasa** en...
Va de / Trata de...

- Os vamos a presentar una película de amor y aventuras que se titula "Las españolas los prefieren rubios".
- Va de un chico holandés, Hans, que decide ir a pasar dos meses en España para aprender español.

12. HUMOR Y ESTEREOTIPOS

A. Lee los chistes de gallegos y de argentinos en los cuadros rojos. ¿Qué imagen crees que se da de cada uno de ellos? Puedes usar los siguientes adjetivos.

- tonto
- creído
- inculto
- egocéntrico

B. Lee los textos y resume en dos frases el origen de ambos estereotipos.

Estereotipos *latinos*

Todas las culturas tienden a explicar el comportamiento del "otro", el que no pertenece a su cultura, a través de estereotipos. Los estereotipos se transmiten y se fijan a través de los medios de comunicación, la educación, las leyendas... y los chistes.

Los "gallegos"

En Argentina, los chistes de "gallegos" son muy populares. Esos chistes no se refieren solo a los habitantes de Galicia, sino en general a todos los españoles. Eso es así porque dentro de la oleada migratoria española que llegó a América a fines del siglo XIX y principios del XX, la comunidad gallega fue la más numerosa, y en países como Argentina y Cuba se empezó a llamar "gallegos" a todos los españoles. Esos inmigrantes que se instalaron en grandes ciudades modernas como Buenos Aires eran personas de origen campesino, pobres y a menudo de bajo nivel educativo. Así se creó el estereotipo de "gallego" inculto y bruto, pero honrado y buena persona.

Manolito, el personaje del cómic Mafalda, del dibujante argentino Quino, es hijo de un inmigrante español y tiene las típicas características del "gallego". Este estereotipo también está presente en películas y obras de teatro.

C. ¿Hay chistes parecidos en tu cultura? ¿Se pueden aplicar a otras nacionalidades u orígenes los chistes que has leído? ¿A cuáles?

 D. Busca en internet chistes de catalanes, vascos, madrileños y mexicanos. ¿Cómo los representan? Cuéntaselo a tus compañeros.

Los argentinos

En España y algunos países de América Latina, los argentinos tienen fama de engreídos. Eso puede ser debido a que durante la primera mitad del siglo xx Buenos Aires era una ciudad rica y cosmopolita y sus habitantes tenían un nivel cultural y económico muy elevado. En sus viajes al extranjero, parece que algunos de ellos mostraban aires de superioridad y se ganaron la antipatía de los otros hispanos.

Los mismos argentinos también han contribuido a crear esta imagen, como se ve en la letra de algunos tangos:
"No hay nadie en el mundo entero que baile mejor que yo.
No hay ninguno que me iguale para enamorar mujeres".
(fragmento de "El Porteño", 1903)

LOS CHISTES DE ARGENTINOS

Le pregunta un argentino a un gallego:
—Che, ¿sabés cuál es el país más cercano al cielo?
—Argentina, supongo...
—responde el gallego irritado.
—No, che, no... ¡Es Uruguay, que está al lado de Argentina!

Un niño argentino le dice a su padre:
—Papá, papá, de mayor quiero ser como tú.
—¿Por qué? —pregunta el papá.
—Para tener un hijo como yo.

LOS CHISTES DE GALLEGOS

¿Cómo reconoces a un gallego en un salón de clases?
Porque es el único que cuando el maestro borra la pizarra, él borra su cuaderno.

Ayer fallecieron cuatro gallegos: dos en un asesinato y dos en la reconstrucción de los hechos.

▶ VÍDEO

⊞ EN CONSTRUCCIÓN

¿Qué te llevas de esta unidad?

Lo más importante para mí:

....

....

Palabras y expresiones:

....

....

Algo interesante sobre la cultura hispana:

....

....

Quiero saber más sobre...

....

....

Cómo voy a recordar y practicar lo que he aprendido:

....

....

MÁS EJERCICIOS

Este es tu "cuaderno de ejercicios". En él encontrarás actividades diseñadas para fijar y entender mejor cuestiones **gramaticales** y **léxicas**. Estos ejercicios pueden realizarse individualmente, pero también los puede usar el profesor en clase cuando considere oportuno reforzar un determinado aspecto.

También puede resultar interesante hacer estas actividades con un compañero de clase. Piensa que no solo aprendemos cosas con el profesor; en muchas ocasiones, reflexionar con un compañero sobre cuestiones gramaticales te puede ayudar mucho.

VOLVER A EMPEZAR

1. Completa los diálogos con las siguientes perífrasis. Luego escucha y comprueba.

47

acabo de conseguir	sigues viviendo
se ha vuelto a casar	sigo trabajando
estuve viviendo	dejó de trabajar
acabo de tener	

1
- Eva: ¿ *Sigues viviendo* en Alcalá?
- Pili: No, hace un par de años me fui a vivir a Montanilla, un pueblecito. Es que ahora trabajo en casa.

2
- Chus: *Acabo de conseguir* el trabajo de mi vida. En "Médicos Mundi".
- Tere: ¡Qué envidia! Yo llevo un montón de años trabajando en el mismo lugar y estoy más harta...

3
- Luis: ¿Qué sabes de Juan?
- Marta: Pues está muy bien. Montó una empresa, la vendió por un montón de dinero y *dejó de trabajar*
- Luis: Ah, sí. ¡Qué suerte!, ¿no?

4
- Inma: ¿Sabes? Mario *se ha vuelto a casar*
- Abel: ¿Otra vez? ¿Con quién?
- Inma: Pues con una chica de Santander muy maja.

5
- Laura: Oye, ¿qué tal el doctorado? ¿Lo has terminado?
- Belén: ¡No! ¡Qué va! Todavía no. Es que *acabo de tener* un hijo y, bueno, ya sabes...
- Laura: ¿Ah, sí? ¡Enhorabuena!

6
- Gerardo: ¿Y ahora qué estás haciendo?
- Julián: Pues *sigo trabajando* en Chile, pero el año que viene vuelvo.

7
- Ana: ¿Cuánto hace que vives en Inglaterra?
- Andrés: Pues ya hace quince años. Al principio, *estuve viviendo* en York y luego me trasladé a Londres.

2. Clasifica en el cuadro las siguientes expresiones.

1998	el 1 de marzo de 2010	mucho tiempo
el inicio del curso	el lunes	la boda de mi prima
llegué a España	bastante tiempo	me casé
no hago deporte	más de dos años	unos años
empecé a estudiar español	un par de semanas	

CANTIDAD DE TIEMPO	PUNTO EN EL TIEMPO	
Hace / Desde hace	Desde	Desde que
Un par de semanas · mucho tiempo · Mas de dos años · bastante tiempo · ~~el inicio del curso~~	· 1998 · el 1 de marzo de 2010 · el lunes · la boda de mi prima · el inicio del curso	· empecé a estudiar español · llegué a España · me casé · no hago deporte

3. Escoge tres expresiones de la actividad anterior y escribe frases sobre ti.

Trabajo en una tienda de trajes desde ● Febrero.

Vivo en Georgia hace 15 años.

Estudio español desde hace 2 años.

Hace una hora que hemos empezado clase.

4. Completa las frases con estas expresiones.

| desde | desde hace | desde que | hace |

1. Trabaja en nuestra empresa ~~desde~~ *hace* siete años.
2. Acabó la carrera de Económicas ~~desde~~ ~~hace~~ *hace* nueve años.
3. ~~Desde hace~~ *Hace* poco ha acabado el doctorado.
4. *Desde que* está al mando de su departamento, ha conseguido duplicar los beneficios.
5. Está poco dispuesto a viajar *desde que* tuvo un hijo.
6. *Hace* un año que estudia alemán.
7. Vive en Valencia *desde* 2001.
8. *Desde que* ha hecho el máster, ha ganado seguridad.

5. Mira este anuncio de trabajo y escribe cinco frases describiendo al candidato ideal (cosas que ha hecho, durante cuánto tiempo, etc.).

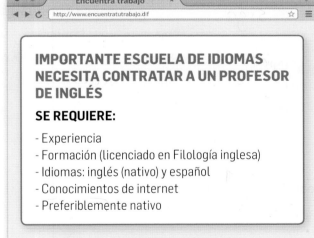

IMPORTANTE ESCUELA DE IDIOMAS NECESITA CONTRATAR A UN PROFESOR DE INGLÉS

SE REQUIERE:

- Experiencia
- Formación (licenciado en Filología inglesa)
- Idiomas: inglés (nativo) y español
- Conocimientos de internet
- Preferiblemente nativo

Hace cinco años que trabaja en una escuela de lenguas.
1. Obtuvo una licencia en Filología inglesa.
2. Es de Los Estados unidos.
3. Estudió las idiomas en su universidad *hace 4 años*
4. Tomó clases de informatica *hace 5 años*
5. Enseñan en escula *hace dos años*
6. Lo votaron como el mejor profesor.

6. Escucha la entrevista de trabajo que le hacen a Ana y marca la opción correcta en cada caso.

48

1. **¿Desde cuándo trabaja en el sector de la restauración?**
   - ☐ **a.** Desde los 15 años.
   - ☑ **b.** Desde los 18 años.
   - ☐ **c.** Desde que terminó los estudios.

2. **¿Cuándo empezó a trabajar de cocinera?**
   - ☑ **a.** En 1996, cuando terminó sus estudios.
   - ☐ **b.** En 1996, cuando empezó a estudiar.
   - ☐ **c.** Cuando llegó a Argentina.

3. **¿Cuántos años estuvo trabajando en España de cocinera?**
   - ☐ **a.** 18
   - ☐ **b.** 5
   - ☑ **c.** 15

4. **¿Por qué dejó de trabajar durante un tiempo?**
   - ☑ **a.** Porque tuvo un hijo.
   - ☐ **b.** Porque se casó.
   - ☐ **c.** Porque se fue de España.

5. **¿Cuánto tiempo hace que vive en Argentina?**
   - ☑ **a.** Hace cinco años.
   - ☐ **b.** Hace unos meses.
   - ☐ **c.** Hace mucho tiempo.

7. Escribe información sobre ti situándola en el tiempo y relacionándola con el momento presente.

Hago yoga desde hace seis años.

1 Algo que llevas haciendo desde hace tiempo.
Hago Kayaking desde hace 1 años.

2 La última vez que te has cambiado de casa.
He camiado de casa hace 14 años.

3 Una cosa que acabas de conseguir.
Acabo de conseguir mi diploma

4 Algo que quieres dejar de hacer.
Quiero dejar de mirar mucho television.

5 Algo que quieres terminar de hacer.
Quiero terminar mis estudi

MÁS EJERCICIOS

8. ¿Conoces a estas personas? Relaciona la información de la derecha con cada una de ellas.

1 Mario Vargas Llosa   **A** Hace años ganó el premio Nobel de Literatura.

2 Ricky Martin   **B** Dejó de entrenar el FC Barcelona en 2012.

3 Salma Hayek   **C** Desde que ganó un Óscar ha trabajado en muchas películas de Hollywood.

4 Bardem   **D** Desde que vive en Estados Unidos es la actriz mexicana más internacional.

5 Pep Guardiola   **E** Trabaja en el mundo de la música desde niño.

9. Completa con las perífrasis adecuadas: **acabar de / empezar a** + infinitivo, **llevar / seguir** + gerundio.

"Llegué a España en 1995. Vine solo a pasar las vacaciones y ____llevo____ ya casi 20 años **viviendo** aquí." En España, Paolo ha trabajado de camarero, de profesor de italiano, de editor... Su español es bastante bueno, aunque afirma: "No voy a clases de español porque me aburro. Eso sí, ____sigo____ **estudiando** por mi cuenta y leo mucho". Tiene muchos amigos españoles y una vida montada aquí. "En octubre ___empiezo a___ **trabajar** en un proyecto editorial y de momento no pienso volver a Italia. Además ___acabo de___ **conocer** a una chica de aquí y..."

10. Escribe un texto similar al anterior con información sobre ti utilizando al menos tres perífrasis de la actividad anterior.

Llegué a España en 1 de Junio,
y llevo aqui hace 3 semanas.
Yo sigo estudiando español mientrs hasta estoy aqui y cuando vuelvo a los estadounid
I te empezado a hacer conocer amigos nuevos aqui en Clige.
Yo acabo de volver de Portugual y ayer, despés he vuelto a mi cas
yo terminé de limpiar mi habitación.

11. Imagina que estamos en el año 2050. ¿Qué cambios ha habido y qué sigue igual? Escribe frases usando las perífrasis siguientes.

Seguir	+	gerundio
Dejar de	+	infinitivo
Empezar a	+	infinitivo
Volver a	+	infinitivo
Acabar de	+	infinitivo
Llevar	+	gerundio

Se acaba de descubrir una cura para el cáncer.

Se acabas de fabricar unos coches que vuelan

Todo el mundo
Todas las personas dijan de fomar.

Se acaba con el
Terminamos de tener hambre del mundo

Seguimos descubriendo las galaxias.

12. Marca la opción más adecuada en cada caso.

1 Ayer **he estado cenando** / **estuve cenando** en casa de unos amigos.

2 Hoy **he estado viendo** / **estuve viendo** la tele un buen rato.

3 Durante todo este año mi hermano **ha estado haciendo** / **estuvo haciendo** prácticas en una empresa.

4 Estos últimos meses **hemos estado trabajando** / **estuvimos trabajando** en un proyecto nuevo.

5 En 2009 mis dos hermanos pequeños **han estado trabajando** / **estuvieron trabajando** en Salamanca.

6 El año pasado Juan Carlos **ha estado viviendo** / **estuvo viviendo** en Japón.

7 Ayer **he estado contestando** / **estuve contestando** toda la mañana correos electrónicos.

13. Imagina que han seleccionado a Lucía (actividad 7 de la página 16) para el puesto y que tiene que hacer una entrevista en la empresa. Tú eres la persona encargada de hacerle la entrevista. ¿Qué preguntas le harías? Escríbelas.

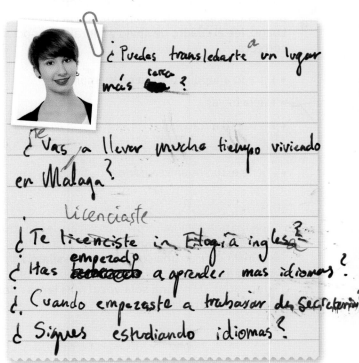

¿Puedes transledarte a un lugar más cerca?

¿Vas a llevar mucho tiempo viviendo en Malaga?

licenciaste
¿Te licenciaste in Filogía inglesa?
emperado
¿Has empezado a aprender mas idiomas?
¿Cuando empezaste a trabajar de secretaria?
¿Sigues estudiando idiomas?

14. ¿Eres buen amigo de tus amigos? Responde a este test y descúbrelo.

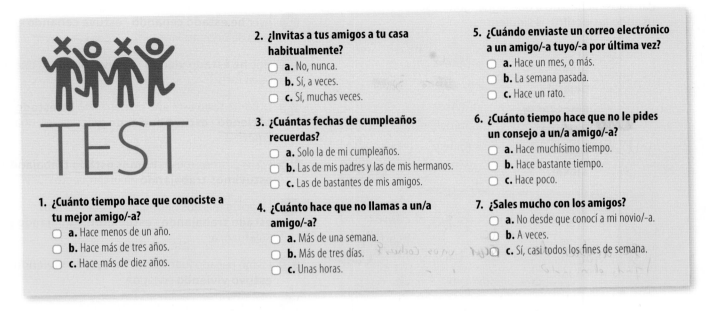

1. ¿Cuánto tiempo hace que conociste a tu mejor amigo/-a?
- ☐ **a.** Hace menos de un año.
- ☐ **b.** Hace más de tres años.
- ☐ **c.** Hace más de diez años.

2. ¿Invitas a tus amigos a tu casa habitualmente?
- ☐ **a.** No, nunca.
- ☐ **b.** Sí, a veces.
- ☐ **c.** Sí, muchas veces.

3. ¿Cuántas fechas de cumpleaños recuerdas?
- ☐ **a.** Solo la de mi cumpleaños.
- ☐ **b.** Las de mis padres y las de mis hermanos.
- ☐ **c.** Las de bastantes de mis amigos.

4. ¿Cuánto hace que no llamas a un/a amigo/-a?
- ☐ **a.** Más de una semana.
- ☐ **b.** Más de tres días.
- ☐ **c.** Unas horas.

5. ¿Cuándo enviaste un correo electrónico a un amigo/-a tuyo/-a por última vez?
- ☐ **a.** Hace un mes, o más.
- ☐ **b.** La semana pasada.
- ☐ **c.** Hace un rato.

6. ¿Cuánto tiempo hace que no le pides un consejo a un/a amigo/-a?
- ☐ **a.** Hace muchísimo tiempo.
- ☐ **b.** Hace bastante tiempo.
- ☐ **c.** Hace poco.

7. ¿Sales mucho con los amigos?
- ☐ **a.** No desde que conocí a mi novio/-a.
- ☐ **b.** A veces.
- ☐ **c.** Sí, casi todos los fines de semana.

 15. Escribe en tu cuaderno la biografía de un personaje que, en tu opinión, haya tenido una vida muy especial.

SONIDOS Y LETRAS

49

16. Escucha estas frases y fíjate en cómo se pronuncian las vocales marcadas en negrita. Luego, lee el cuadro de abajo y subraya las opciones correctas.

- Hace 10 años que trabaj**a e**n la empresa.
- Habl**a i**nglés.
- Ha vuelt**o a** trabajar.
- Habl**a a**lemán muy bien.
- ¿Tien**e e**studios universitarios?

> Cuando una palabra termina en vocal y la siguiente empieza en vocal, las dos vocales se pronuncian normalmente en **una sola sílaba / en sílabas separadas**. Cuando las vocales son iguales, se pronuncian como **una sola vocal más larga / dos vocales separadas**.

LÉXICO

17. ¿Con cuáles de estos verbos puedes asociar los sustantivos de la derecha? En algunos casos deberás poner una preposición.

18. Fíjate en estas frases. ¿Significan lo mismo? Luego, tradúcelas a tu lengua.

1. Acabo de empezar la carrera.

2. Acabo la carrera este trimestre.

1. ....

2. ....

19. Completa con las siguientes palabras relacionadas con los estudios y el trabajo.

empresa   carrera   puesto de trabajo

contrato   Departamento   clases   candidato

doctorado   prácticas

1. Tener un ~~puesto de trabajo~~ *contrato* indefinido.

2. Estudiar la ~~empresa~~ *carrera* de Económicas.

3. Conseguir un *puesto de trabajo* en una empresa.

4. Trabajar en el *Departemento* de Marketing de una empresa.

5. Hacer un *doctorado* en una universidad.

6. Hacer *practicas* en una empresa.

7. Ser *candidato* a un puesto de trabajo.

8. Montar una *empresa* .

9. Dar *clases* en una universidad.

20. Forma expresiones con los elementos de las tres columnas y escríbelas en tu cuaderno.

estar al mando

tener disponibilidad

estar a cargo

dirigir

de

para

ø

un departamento

viajar

hacer horas extra

un gran equipo

muchos trabajadores

una empresa

21. Escribe en tu cuaderno frases sobre ti o sobre gente que conoces usando las expresiones de las actividades 19 y 20. Luego, tradúcelas a tu lengua.

Mi hermana ha hecho un doctorado.

Yo hago prácticas en una empresa de seguridad.

22. Mi vocabulario. Anota las palabras de la unidad que quieres recordar.

ANTES Y AHORA

1. Completa el cuadro con las formas regulares del pretérito imperfecto.

	TRABAJAR	HACER	SALIR
(yo)	trabajaba	....	....
(tú)	....	....	....
(él/ella/ usted)	....	hacía	....
(nosotros/ nosotras)	....	....	....
(vosotros/ vosotras)	....	....	....
(ellos/ellas/ ustedes)	....	....	salían

2. Ahora completa con las formas de los tres verbos irregulares en pretérito imperfecto.

	SER	IR	VER
(yo)	....	....	....
(tú)	....	....	....
(él/ella/ usted)	....	....	....
(nosotros/ nosotras)	....	....	....
(vosotros/ vosotras)	....	....	....
(ellos/ellas/ ustedes)	....	....	....

3. Observa estas dos imágenes de Fernando y descríbelas. ¿En qué cosas ha cambiado?

4. Edurne le cuenta a una amiga cómo era antes. Marca la opción correcta en cada caso.

50

1. **Cuando tenía 12 años...**
   - ☐ **a.** vivía con su abuela.
   - ☐ **b.** llevaba el pelo corto.
   - ☐ **c.** tenía un gato que se llamaba Corcho.

2. **Cuando tenía 15 años...**
   - ☐ **a.** estudiaba poco.
   - ☐ **b.** salía mucho de noche.
   - ☐ **c.** no tenía muchos amigos.

3. **Cuando tenía 20 años...**
   - ☐ **a.** estudiaba mucho y no salía nunca.
   - ☐ **b.** vivía con su hermana.
   - ☐ **c.** trabajaba de modelo.

4. **Cuando tenía 30 años...**
   - ☐ **a.** trabajaba como secretaria.
   - ☐ **b.** estaba en paro.
   - ☐ **c.** vivía en Nueva York.

5. Piensa en alguien de tu familia: tu padre, tu abuela... Piensa dónde vivía cuando era joven, cómo era su casa, qué cosas hacía para pasarlo bien, cómo era la vida en aquella época, etc. Luego, escribe un texto comparando vuestras vidas y explicando qué cosas te parecen mejores o peores.

6. Aquí tienes un fragmento de la biografía de un personaje muy conocido. ¿Quién es: Pablo Picasso, Antoni Gaudí o Gabriel García Márquez? Escríbelo debajo.

Nació el 25 de octubre de 1881 en Málaga. Su familia vivía modestamente y su padre era profesor de dibujo.

No le gustaba la escuela: "Solo me interesaba cómo el profesor dibujaba los números en la pizarra. Yo únicamente copiaba las formas, el problema matemático no me importaba."

Era tan mal estudiante que lo castigaban a menudo: lo metían en "el calabozo", un cuarto vacío en el que solo había un banco. "Me gustaba ir allí porque llevaba mi cuaderno de dibujo y dibujaba. Allí estaba solo, nadie me molestaba y yo podía dibujar y dibujar y dibujar."

Se trata de

....

....

7. ¿Quién es tu personaje famoso favorito? ¿Sabes muchas cosas sobre su vida? Escribe un pequeño texto sobre cómo era su vida antes de ser famoso. Busca la información en internet.

8. Completa estas frases con verbos en pretérito imperfecto.

1. Los antiguos egipcios .... una escritura llamada "jeroglífica".

2. Los romanos .... latín.

3. Antes del descubrimiento de América, en Europa no .... patatas.

4. Los incas .... en grandes ciudades.

5. A principios del siglo xix el Imperio turco .... enorme.

6. A principios del siglo xx las mujeres no .... votar en casi ningún país del mundo.

7. Durante el franquismo los partidos políticos .... prohibidos.

8. Antes, la gente .... más hijos que ahora.

9. En los años 50 la mayoría de españoles no .... coche.

10. En los años 70 Ibiza .... una isla tranquila.

11. Antes los viajes entre Europa y América .... semanas.

12. Antes de la aparición de internet la gente .... más cartas que ahora.

9. ¿**Ya no** o **todavía**? Elige una de las dos formas y completa las frases según tu opinión.

1 Antes viajar en avión era muy caro. En la actualidad
....
....

2 A finales del siglo xx China era el país más poblado del mundo. Hoy en día ....
....

3 A finales del siglo xx había muchas guerras en diferentes partes del mundo. Actualmente ....
....

4 Antes las mujeres estaban discriminadas en muchos países. En la actualidad ....
....

5 Antes en mi país se podía fumar en todos los sitios. Ahora ....
....

10. ¿A qué momento de su pasado se refieren estas personas? Completa con una información posible.

1 Cuando ...., por una parte estaba mejor porque no tenía que cocinar, ni hacía la compra, ni me preocupaba por las facturas, y además tenía la compañía de mi familia; pero, por otra parte, no tenía tanta libertad, debía seguir unas normas...

2 Cuando ...., me podía hacer un montón de peinados diferentes pero era muy pesado tener que lavarlo tan a menudo; por eso me lo he cortado. Me da un poco de pena, pero estoy mucho más cómoda.

3 Cuando ...., la gente era más puntual porque no podía avisar dos minutos antes de la cita de que iba a llegar tarde... En cambio, ahora, con una llamada para decir que hay un atasco o cualquier otra excusa, basta... ¡Pero la otra persona espera igual!

4 Cuando ...., tenía muchos problemas para practicar algunos deportes, me gastaba mucho dinero porque se me rompían muchas veces, ahora con las lentillas soy una persona nueva y, además, me gusta mucho más mi imagen.

5 Cuando ...., tenía que usar siempre el transporte público y luego caminar un buen rato para llegar al trabajo. ¡Tardaba casi una hora y media en llegar! Ahora, desde que me compré el 4x4, llego en veinte minutos.

11. Escribe sobre tu propia experiencia usando el modelo de la actividad anterior.

Antes, cuando no sabía nada de español,

SONIDOS Y LETRAS

12. Completa las frases con estas palabras. ¿Cuáles son verbos en la forma de pretérito imperfecto?

sabia   hacia   medía   sabía

hacía   media

1. Cuando tenía 12 años, ya .... 1,70 m.

2. Nos tenemos que ir ya, son las ocho y ....

3. Mi abuela era una mujer muy ....

4. Mi hermana pequeña .... leer a los 4 años.

5. No estuve mucho rato en la playa, ... demasiado calor.

6. Toma el metro .... Plaza de España y bájate en la segunda parada.

13. Practica la pronunciación de **ia** e **ía** leyendo estas palabras en voz alta. Luego escucha el audio y comprueba que lo has hecho bien.

51

14. Di las frases de la actividad 12 en voz alta. ¿Las pronuncias correctamente? Escucha y comprueba.

52

1. d**ía**
2. polic**ía**
3. farmac**ia**
4. ped**ía**n
5. v**ia**l

6. sal**ía**mos
7. ten**ía**is
8. ser**ia**
9. quer**ía**
10. v**ía**

LÉXICO

15. Lee las siguientes opiniones. ¿Estás de acuerdo? Escribe tu opinión.

Sí, es cierto...   Bueno, eso depende de...

Bueno, sí, pero...   No estoy de acuerdo. Para mí...

No sé, creo que...   Estoy de acuerdo...

1. Antes la gente tenía más hijos. Hoy en día, en cambio, formar una familia no es tan importante... Pero sin hijos la vida no tiene tanto sentido.

2. Leer novelas es una experiencia única. La gente que lee novelas es más interesante.

3. No puedes ser un verdadero amante de la música si no te gusta la música clásica.

16. ¿A qué invento o descubrimiento se refiere cada texto? Escríbelo.

Antes de su invención, necesitábamos ayuda para hacer muchas cosas que hoy hacemos solos: teníamos que pedir ayuda a otra persona para afeitarnos o para maquillarnos, necesitábamos la opinión de otro para saber si un traje nos quedaba bien o para saber si estábamos guapos.

1

Antes de su invención, era mucho más incómodo, por ejemplo, calentar un poco de leche: se tardaba más y se ensuciaba un cazo. Ahora, en un minuto ya está lista en la misma taza en la que te la tomas.

2

17. Elige dos de estos inventos. Busca información en internet y escribe un pequeño texto como los de la actividad anterior.

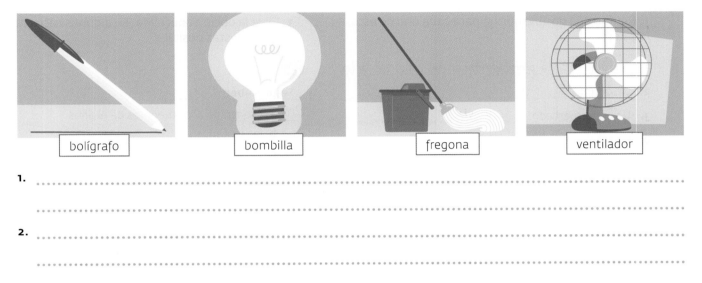

| bolígrafo | bombilla | fregona | ventilador |

1. ....
....

2. ....
....

18. Busca en la unidad palabras relacionadas con estos temas. Puedes añadir otras que conoces.

19. Mi vocabulario. Anota las palabras de la unidad que quieres recordar.

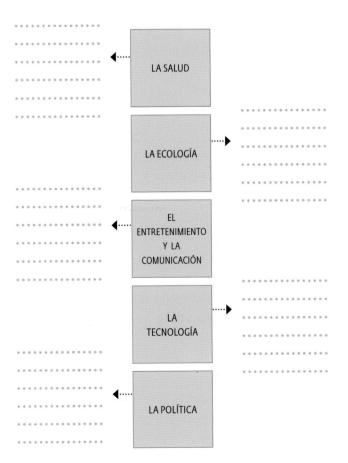

LA SALUD

LA ECOLOGÍA

EL ENTRETENIMIENTO Y LA COMUNICACIÓN

LA TECNOLOGÍA

LA POLÍTICA

PROHIBIDO PROHIBIR

1. Escribe una posible norma para cada uno de estos lugares.

1. Un museo: *Está prohibido tocar las obras de arte.*

2. Un gimnasio: _____

3. Un supermercado: _____

4. Una escuela: _____

5. Un hospital: _____

6. Un teatro: _____

7. Una piscina: _____

8. Una oficina: _____

9. Una fábrica: _____

10. Un hotel: _____

2. ¿Cómo imaginas una sociedad ideal? Escribe diez normas que existen en esa sociedad.

> (No) Está/n prohibido/-a/-os/-as...
> (No) Está/n permitido/-a/-os/-as...
> (No) Se admite/n...
> (No) Se puede / Se admite / Se prohíbe...

Está prohibido usar coches en las ciudades.

1. _____

2. _____

3. _____

4. _____

5. _____

6. _____

7. _____

8. _____

9. _____

10. _____

3. Elige la opción adecuada. En algunos casos hay dos respuestas posibles.

1

Se prohíben _____.

☐ **a.** la entrada a los menores de 18 años
☐ **b.** las pintadas
☐ **c.** fumar

2

Están prohibidos _____.

☐ **a.** los teléfonos móviles
☐ **b.** las visitas
☐ **c.** hablar por teléfono

3

Están prohibidas _____.

☐ **a.** hacer ruido
☐ **b.** los objetos metálicos
☐ **c.** las visitas

4

Se prohíbe _____.

☐ **a.** la entrada a los menores de 18 años
☐ **b.** visitar a los enfermos
☐ **c.** los objetos metálicos

5

Es obligatorio _____.

☐ **a.** el uso del casco
☐ **b.** ponerse el cinturón de seguridad
☐ **c.** la asistencia a clase

6

Es obligatoria _____.

☐ **a.** el uniforme
☐ **b.** la asistencia a clase
☐ **c.** dejar propina

4. Piensa en qué cosas hace la gente en tu país y escribe un pequeño párrafo sobre cada uno de los ámbitos que aparecen más abajo. Intenta utilizar los siguientes cuantificadores.

(casi) todo el mundo
la mayoría (de...)
mucha gente
(casi) nadie
no mucha gente

1. MATRIMONIO

2. RELIGIÓN

3. VACACIONES

4. TRABAJO

5. COMIDA

6. OCIO

5. Lee los comentarios de varias personas sobre su infancia y su adolescencia. Reacciona según tu propia experiencia.

1. "Cuando tenía 15 años, mis padres no me permitían llegar a casa después de las nueve de la noche."

2. "Mis padres me dejaron ir de vacaciones solo al extranjero por primera vez a los 16 años."

3. "Hasta los 15 años, mis padres no me dejaron dormir en casa de mis amigos."

4. "Hasta que cumplí 12 años, no pude escoger qué ropa me ponía."

5. "Cuando iba a la escuela (hasta los 14 años), no podía llevar vaqueros a clase."

6. ¿Qué otras cosas no te permitían hacer cuando eras niño/-a o adolescente?

7. Dos personas hablan de sus trabajos. Escucha las conversaciones y marca las cosas que están prohibidas, las que están permitidas y las que son obligatorias en su trabajo.

53 - 54

		1	2	3
1. RAQUEL	Llevar una bata blanca			
	Maquillarse			
	Ser puntual			
	Comer			
2. RAÚL	Comer durante los servicios			
	Llevar uniforme			
	Afeitarse cada día			
	Pintarse las uñas y llevar *piercings*			
	Invitar a amigos a comer gratis			

1 Está prohibido   **2** Está permitido   **3** Es obligatorio

8. ¿Qué cosas se pueden hacer en tu clase de español? Responde a estas preguntas.

	SÍ	NO
1. ¿Está prohibido usar el móvil?		
2. ¿Se puede comer?		
3. ¿Es obligatorio llevar uniforme?		
4. ¿Está permitido quitarse los zapatos?		
5. ¿Es obligatorio hacer los deberes?		
6. ¿Se puede llegar tarde?		
7. ¿Es obligatorio estar siempre sentado?		
8. ¿Se puede hablar en otro idioma además de en español?		
9. ¿Está permitido el uso del diccionario?		

9. Completa las frases con la forma singular o plural de estos verbos.

produce/n	deja/n	estudia/n	usa/n
paga/n	toma/n	habla/n	escribe/n

1. En España se .... cuatro idiomas.

2. En algunas culturas se .... de derecha a izquierda.

3. El jerez y el fino son unos vinos que se .... en el sur de España.

4. En España, en Nochevieja se .... doce uvas.

5. En los restaurantes normalmente se .... propina.

6. En Argentina no se .... la forma "vosotros".

7. En Estados Unidos se .... español en las escuelas.

8. En la mayoría de los países europeos se .... con euros.

10. Completa las siguientes frases con información sobre tu país. Puedes utilizar las expresiones **es normal**, **es (poco) habitual**, etc.

1. Cuando es el cumpleaños de un amigo, ...
....

2. Si te invitan a una fiesta, ...
....

3. Si se casa un familiar, ...
....

4. Si visitas a alguien que está en un hospital, ...
....

5. Si te instalas en una casa nueva, ...
....

6. Si apruebas un examen, ...
....

7. Si se muere un familiar de un amigo, ...
....

8. Si un amigo tiene un hijo, ...
....

11. Fíjate en estas tres personas y lee lo que dicen. Luego contesta las preguntas.

¿Qué es lo que más te gusta de tu trabajo y lo que menos te gusta?

ROBERTO
Lo que más me gusta de mi trabajo

"Una de las cosas que más me gusta de mi trabajo son las vacaciones. Tenemos más de dos meses en verano, dos semanas en Navidad y una semana en Semana Santa. También me gusta trabajar con niños. Es muy gratificante. Y me gusta la libertad que tengo: nadie me obliga a nada, puedo hacer lo que quiero en clase."

Lo que menos me gusta de mi trabajo
"Lo peor es que muchos padres piensan que somos los únicos responsables de la educación de sus hijos cuando, en realidad, solo compartimos con ellos esa responsabilidad."

ELISENDA
Lo que más me gusta de mi trabajo

"Me gusta tratar con la gente. Me encanta la ropa y todo lo que está relacionado con la moda. Me llevo muy bien con mis compañeras."

Lo que menos me gusta de mi trabajo
"En mi trabajo es obligatorio llevar uniforme y no me gusta nada. El horario tampoco me gusta mucho. Empiezo a las 10 h y tengo que hacer una pausa de 14 a 16:30 h. Vivo bastante lejos del trabajo así que normalmente me quedo por el centro de la ciudad, como y, a veces, voy a un gimnasio para aprovechar el tiempo. Suelo llegar a casa a las 21 o a las 21:30 h de la noche. Y encima, trabajo casi todos los sábados. Pero lo peor es que el sueldo tampoco es gran cosa. Por eso todavía vivo con mis padres."

ARTURO
Lo que más me gusta de mi trabajo

"Lo mejor es que suelo salir a las 18 h de la tarde y que no trabajo los fines de semana. También me gusta tratar con la gente y vender. Otra cosa buena es que cuando hago una venta importante, cobro una comisión y mi sueldo se duplica o se triplica."

Lo que menos me gusta de mi trabajo
"No me gusta llevar traje, pero en mi trabajo es obligatorio. No me gusta viajar y, a veces, tengo que ir a ferias o a otras ciudades para visitar a clientes y, claro, a veces estoy más de una semana sin ver a mi familia. Eso es lo peor de mi trabajo."

1. ¿En qué crees que trabaja cada uno de ellos? ¿Por qué? ....

2. Si trabajas, ¿cuál de estos tres trabajos se parece más al tuyo? ¿Por qué? ....

3. ¿Cuál de los tres trabajos te gusta más? ¿Por qué? ....

12. Escribe en tu cuaderno un texto sobre qué es lo que te gusta más y lo que te gusta menos de uno de los siguientes temas.

| tu ciudad | tu trabajo | tu país | tu clase de español |

13. Estas son algunas fiestas y celebraciones de España. Busca información sobre una de ellas y escribe un texto explicando en qué consiste.

- Fiestas de Moros y Cristianos
- Los Reyes Magos
- San Juan
- Sant Jordi
- Arde Lucus
- Carnaval de Tenerife
- Las fiestas de El Pilar

Qué es
Cuándo, dónde y cómo se celebra
Quiénes participan

SONIDOS Y LETRAS

 14. Escucha estos tres diálogos. Fíjate en las expresiones marcadas en negrita y señala:

55-57
1. Las expresiones que se usan para elogiar.
2. Las expresiones que sirven para insistir.
3. La palabra que introduce una frase que quita importancia a un elogio.

- *A ver, a ver... Uau, ¡una camiseta!*
- ○ *¿Te gusta?*
- **Me encanta**, *es superoriginal...*
- ○ *¿De verdad?*
- **Sí, sí, en serio**, *qué buena idea...*
- ○ **Bueno**, *es un detalle...*

- *Oye, muchísimas gracias por todo, ¿eh?* **La cena estaba riquísima...**
- ○ **Bueno**, *era muy sencillita.*
- **No, en serio**, **buenísimo todo**. *Venga, la próxima vez hacemos una cena en nuestra casa, ¿eh?*
- *¡Va, venga!*

- *Mira, y esta es la habitación.*
- ○ **¡Qué bonita! ¡Y qué cama más grande! ¡Es enorme!**
- *Sí, nos gusta tener espacio.*
- ○ **Y además tiene mucha luz**. **Preciosa**, *de verdad...*
- **Bueno**, *sí, la verdad es que hemos tenido suerte.*

15. Ahora, en parejas, representad los diálogos de la actividad anterior, intentando imitar la entonación.

LÉXICO

16. En estas frases tienes diferentes usos del verbo **dejar**. Traduce a tu lengua lo que está en negrita. ¿Qué verbos usas? ¿Conoces otros usos del verbo **dejar**? ¿Cuáles?

1. **Me lo dejaron muy claro** cuando empecé: la puntualidad es muy importante.

....

2. Aquí cuando vas a un restaurante tienes que **dejar propina**, por lo menos un 20 % de propina.

....

3. En las clases de matemáticas **no nos dejan utilizar la calculadora**.

....

4. Cuando **un compañero de trabajo deja la empresa**, es habitual hacerle un regalo.

....

17. Busca en la unidad palabras con las que podemos combinar estos verbos. Puedes añadir otras si quieres.

invitar a alguien a... una fiesta,
....

dar... las gracias,
....

comer... pan, con palillos,
....

enviar... una tarjeta,
....

recibir... un regalo,
....

llegar... tarde,
....

18. Clasifica en el cuadro las palabras en negrita.

- Está prohibido **el uso** del teléfono móvil
- Prohibida **la entrada** a menores de 16 años
- No se permiten **las visitas**
- Está prohibida **la venta** de alcohol
- Prohibido **el baño**
- No se puede **pasar**
- Prohibido **el paso**
- No **se venden** bebidas alcohólicas
- No se puede **visitar** a los estudiantes en sus habitaciones
- Prohibido **entrar** con alimentos
- No está permitido **usar** aparatos electrónicos
- Está prohibido **bañarse**

SUSTANTIVO	VERBO

19. Mi vocabulario. Anota las palabras de la unidad que quieres recordar.

BUSQUE Y COMPARE

1. Haz una búsqueda en internet de anuncios españoles o de otro país de habla hispana. Escoge uno de esos anuncios y completa la ficha.

Producto: ....

Marca: ....

Eslogan: ....

Público objetivo: ....

Argumento o trama: ....

....

....

....

Valores asociados al producto: ....

....

2. Completa con las formas del imperativo afirmativo.

	IR	HACER	VENIR
(tú)			
(vosotros/-as)			
(usted)			
(ustedes)			

3. Completa con las formas del imperativo negativo.

	LAVAR	CONSUMIR
(tú)		
(vosotros/-as)		
(usted)		
(ustedes)		

	PERDER	SALIR
(tú)		
(vosotros/-as)		
(usted)		
(ustedes)		

4. Completa los siguientes consejos para un consumo responsable. Usa los siguientes verbos en la forma **tú** del imperativo afirmativo o negativo.

anotar	hacer	informarse
caminar	ir (4)	intercambiar
pensar	usar (2)	

1. .... si lo necesitas o si te hace ilusión tenerlo.

2. No .... a comprar si estás triste.

3. .... una lista de lo que necesitas antes de ir de compras.

4. .... todos tus gastos.

5. No .... de compras los primeros días del mes.

6. .... sobre el proceso de elaboración de los productos.

7. .... la ropa con amigos o familiares.

8. .... a tiendas de segunda mano.

9. No .... a comprar comida con el estómago vacío.

10. .... o .... la bici para desplazarte.

11. .... bombillas de bajo consumo.

5. Completa la siguiente receta con los pronombres que faltan. ¿Van delante o detrás del verbo? Luego, pon acentos en los imperativos que lo necesiten.

SEPIA CON PATATAS ×

http://www.cocinaconaula.difu/sepia

SEPIA CON PATATAS

(para dos personas)

1. Compre dos sepias medianas y .... lave ....

2. Después, ... seque .... y .... corte .... en trozos pequeños (no haga los trozos demasiado pequeños). Caliente un poco de aceite en una cazuela y, cuando el aceite esté bien caliente, añada la sepia.

3. .... deje .... hasta que esté bien dorada.

4. A continuación, añada una cebolla grande cortada a trozos medianos. Corte un tomate pequeño a trozos, pero no .... añada .... hasta que la cebolla esté transparente.

5. Pele cuatro patatas medianas y .... corte .... en cuatro trozos.

6. .... añada .... a la cazuela junto con caldo suficiente para cubrir el guiso.

7. Añada al guiso una pizca de sal y unas hojas de laurel. Luego, ... deje .... a fuego lento durante media hora.

6. Completa estos eslóganes con la forma adecuada del imperativo de los verbos que aparecen entre paréntesis. Luego, escribe qué tipo de producto crees que anuncian.

1 "Este fin de semana (HACER, TÚ) .... historia."

▸ ....

2 "(BUSCAR, USTED) ...., (COMPARAR, USTED) .... y, si encuentra algo mejor, (COMPRARLO, USTED) ...."

▸ ....

3 "(DESCUBRIR, USTED) .... el equilibrio. Viña Albati: un vino para descubrir."

▸ ....

4 "(RENOVARSE, TÚ) .... con Telestar y (CONSEGUIR, TÚ) .... un móvil de última generación."

▸ ....

5 "No (PERDER, TÚ) .... esta oportunidad, (VENIR, TÚ) .... a conocernos."

▸ ....

6 "(CREÉRSELO, TÚ) ...., Londres desde 38 euros."

▸ ....

7 "No (DUDARLO, USTED) ...., (VOLAR, USTED) .... con Cheap-Air."

▸ ....

8 "(DESCONECTAR, TÚ) ...., (DESCUBRIR, TÚ) ...., (DESAHOGARSE, TÚ) ...., (DESPREOCUPARSE, TÚ) .... Hay otra forma de tomarse la vida. Con Raimaza descafeinado."

▸ ....

7. Piensa en dos recomendaciones que pueden servir de eslogan publicitario para estos productos o servicios.

PRODUCTO / SERVICIO	IMPERATIVO AFIRMATIVO	IMPERATIVO NEGATIVO
Un gimnasio	Haz deporte, muévete.	No te quedes en casa.
Un refresco		
Una impresora		
Una bañera		
Un café		
Un curso de español		
Un disco		
Un destino turístico		
Un microondas portátil		

8. Tu escuela va a lanzar una campaña de publicidad para promocionar el estudio del español. Escribe el texto que se utilizará para informar y animar a los futuros estudiantes. Usa imperativos.

¿Quieres aprender español?

9. Lee esta información sobre un producto nuevo para niños y piensa un posible nombre comercial. Luego, escribe en tu cuaderno dos anuncios para este producto: uno dirigido a los padres y otro dirigido a los niños.

NOMBRE DEL PRODUCTO ▸ ....

PROBLEMA QUE EXISTE ▸ Los niños llevan cada vez una vida más sedentaria, juegan menos y hacen menos ejercicio. Su entretenimiento favorito es la televisión. El porcentaje de niños obesos es muy alto. Se estima que el 50 % de los niños que son obesos a los seis años lo van a ser también de adultos.

DESCRIPCIÓN DEL PRODUCTO ▸ Unos zapatos con un dispositivo que registra la cantidad de ejercicio que realiza el niño a lo largo del día y lo transforma en tiempo de televisión al que tiene derecho.

FUNCIONAMIENTO ▸ Los zapatos tienen un botón en la base que cuenta los pasos dados. Esta información es retransmitida mediante señales de radio a un aparato conectado al televisor. El dispositivo acumula un saldo de tiempo ganado y cuando este tiempo se acaba se apaga automáticamente la televisión. Por ejemplo, para ganar 15 minutos de tele es necesario caminar 1500 pasos.

10. Lee este artículo sobre las tendencias del mercado. ¿En qué lugares del texto colocarías las siguientes frases?

1. Si se pretende dar una imagen popular, se colocan los productos en montones y desordenados.

2. Sin embargo, las que escogen una música *techno* y estridente, incitan a comprar deprisa.

3. Por su culpa, podemos bajar al supermercado a comprar leche y volver con dos bolsas llenas de otras cosas.

4. Otras tiendas han establecido un punto de entrada y otro de salida con un recorrido obligatorio por toda la tienda.

Ese cliente, ¡que no se escape!

Nada es casualidad en una tienda: ni los colores, ni la música, ni la luz, ni el olor. Desde que entra en un establecimiento comercial, sobre todo en las grandes superficies, el cliente se convierte en víctima de la guerra de las marcas y puede salir de allí llevando algo que no estaba en sus planes o comprando algo en el último momento. Es lo que se llama "compra por impulso", un comportamiento provocado por el marketing y sus técnicas perfectamente medidas y estudiadas. En el argot profesional se denomina "publicidad en el punto de venta" e influye en casi el 30 % de las ventas.

Todo empieza por los escaparates, diseñados cuidadosamente para influir en el cliente e incitarlo a comprar. Las tiendas caras, selectas y exclusivas optan por colocar un solo objeto en un entorno lujoso e iluminado por varios focos.

Dentro de la tienda, hay sitios donde se vende más, son las zonas "calientes", que suelen situarse en la entrada, en los extremos de los pasillos y al lado de la cola de la caja de salida. La altura a la que se colocan los productos también es importante. Se sabe que se vende más lo que está a la altura de los ojos; un poco menos lo que está cerca de las manos, y muy poco lo que tenemos a nuestros pies. Se supone que por tendencia natural miramos más a la derecha, así que se colocan a ese lado los productos más nuevos o especiales. Un cambio de ubicación puede hacer subir las ventas de un producto en casi un 80%.

El recorrido del cliente también está estudiado. Es frecuente encontrar los productos básicos o de primera necesidad al fondo; así, hay que atravesar toda la tienda para llegar a ellos y resulta fácil caer en alguna tentación por el camino.

Las tiendas que apuestan por un hilo musical suave y relajante y con una decoración pastel están invitando a permanecer allí durante un buen rato, a comprar tranquilamente. Una curiosidad: un experimento realizado en un hipermercado demostró que la música italiana elevaba las ventas de pasta.

11. Escribe el nombre de tiendas que conozcas con las siguientes características.

Tiendas con una música suave: ....

Tiendas con música estridente: ....

Tiendas que colocan un solo objeto en un entorno lujoso: ....

Tiendas que colocan los productos desordenados y en montones: ....

Tiendas que obligan al consumidor a hacer un recorrido por toda la tienda: ....

MÁS EJERCICIOS

12. Lee estos eslóganes de campañas institucionales que se han divulgado en España en los últimos años. ¿Cuál puede ser su objetivo? Clasifícalos en la tabla. Luego, búscalos en internet y comprueba tus respuestas.

1 Si no les enseñas a vivir, no les habrás enseñado nada.

2 Engánchate a la vida.

3 Habla con tu hijo.

4 Todos somos responsables.

5 Hay un montón de razones para decir no.

6 La solución está en tus manos.

7 Vive y deja vivir.

8 Haz algo.

9 Mejor sin ellas.

10 Cumple las normas. Tú sí puedes evitarlo.

11 Piénsalo. Las imprudencias no solo las pagas tú.

12 Abróchate a la vida.

	1	2	3	4	5	6	7	8	9	10	11	12
Prevención de accidentes de tráfico												
Lucha contra el consumo de drogas												
Pueden referirse a las dos cosas												

13. Vas a escuchar una campaña radiofónica de la FAD (Fundación de Ayuda contra la Drogadicción). Contesta las siguientes preguntas.

58

1. ¿Qué crees que es "Duérmete niño, duérmete ya, que viene el Coco y te llevará"? ....

2. ¿Quién crees que es el Coco? ....

3. ¿A qué público va dirigida la campaña? ....

4. ¿Cuál es el mensaje principal de la campaña? ....

SONIDOS Y LETRAS

14. Clasifica los siguientes imperativos en la tabla. Luego escucha y comprueba. ¿Se pronuncian igual las letras marcadas en negrita? ¿Por qué se escriben de forma distinta?

59

- bus**c**a
- reco**j**a
- cuel**gu**e
- se**c**a
- co**j**a
- se**qu**e
- cuel**g**a
- apa**gu**e
- reco**g**e
- co**g**e
- apa**g**a
- bus**qu**e

	TÚ	USTED
BUSCAR		
RECOGER		
SECAR		
COLGAR		
APAGAR		
COGER		

LÉXICO

15. ¿Qué palabra no es de la serie? ¿Por qué?

■ logo ■ feminidad ■ solidaridad ■ belleza **1**	■ radio ■ anunciante ■ televisión ■ internet **2**	■ marca ■ imagen ■ libertad ■ eslogan **3**
■ consumidor ■ seguridad ■ publicista ■ actor **4**	■ éxito ■ marca ■ solidaridad ■ amor **5**	■ concienciar ■ sorprender ■ impactar ■ lujo **6**

16. Escribe los sustantivos correspondientes a estos adjetivos. Los puedes buscar en la unidad.

ambicioso/-a: ....

solidario/-a: ....

libre: ....

lujoso/-a: ....

agresivo/-a: ....

bello/-a: ....

amistoso/-a: ....

exitoso/-a: ....

violento/-a: ....

17. Escribe el nombre de distintas tareas del hogar usando los siguientes verbos.

fregar	lavar	colgar	dar de comer	pasar
ordenar	quitar	regar	apagar	vaciar

fregar los platos, fregar el...

....

....

....

....

....

....

18. ¿Con qué productos asocias las siguientes palabras o expresiones? Escríbelo. Puede haber más de una opción.

más económico/-a	sin alcohol	más rápido/-a
más ecológico/-a	tecnológicamente perfecto/-a	
con menos aditivos	con más memoria	
más sencillo/-a	más sabroso/-a	más seguro/-a
elegantísimo/-a	más pequeño/-a	

1. un coche: ....

2. una crema facial: ....

3. gasolina: ....

4. un reloj: ....

5. una loción para el pelo: ....

6. un ordenador: ....

7. un teléfono móvil: ....

8. un televisor: ....

9. una compañía aérea: ....

19. Mi vocabulario. Anota las palabras de la unidad que quieres recordar.

MOMENTOS ESPECIALES

1. Aquí tienes los principales acontecimientos de la historia de Cuba. Conjuga los verbos en pretérito indefinido.

1. En 1492 Cristóbal Colón (descubrir) .... la isla de Cuba.

2. En 1560 la isla (convertirse) .... en un punto comercial estratégico.

3. En 1850 (producirse) .... enfrentamientos entre el ejército español y los independentistas cubanos.

4. En 1895 (empezar) .... la guerra entre España y Cuba.

5. En 1898 Estados Unidos (entrar) .... en la guerra.

6. En 1899 Estados Unidos (asumir) .... el gobierno de Cuba durante cuatro años.

7. En 1940 (aprobarse) .... una nueva Constitución.

8. En 1952 Fulgencio Batista (dar) .... un golpe de Estado.

9. En 1956 un grupo de jóvenes liderados por Fidel Castro (internarse) .... en Sierra Maestra y (formar) .... el núcleo del ejército rebelde.

10. En 1959, tras derrotar a las fuerzas de Batista, el ejército rebelde (entrar) .... en La Habana.

11. En 1962 J.F. Kennedy (ordenar) .... el bloqueo a Cuba.

12. En 1980 el gobierno cubano (autorizar) .... la emigración hacia los Estados Unidos.

13. En 1991 la URSS (poner) .... fin a su alianza política, militar y económica con Cuba.

14. En 2008 Fidel Castro (renuncia) .... a la presidencia.

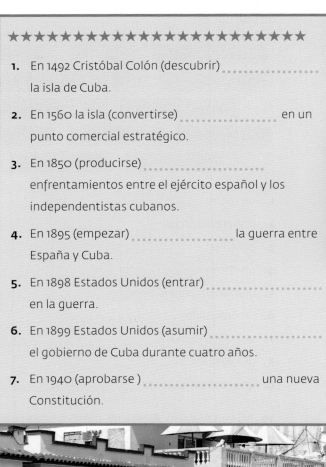

2. Completa estos cuadros con las formas del pretérito indefinido.

REGULARES

	PENSAR	LEVANTARSE	VIVIR
(yo)			
(tú)			
(él/ella/usted)			
(nosotros/nosotras)			
(vosotros/vosotras)			
(ellos/ellas/ustedes)			

IRREGULARES

	CONDUCIR	SENTIR	DORMIR
(yo)			
(tú)			
(él/ella/usted)			
(nosotros/nosotras)			
(vosotros/vosotras)			
(ellos/ellas/ustedes)			

3. ¿Cómo eran estas personas o cosas?

Mi primer/-a maestro/-a.

Mi primera maestra se llamaba Anne, era muy simpática y nos contaba cuentos...

Un juguete que tenía de pequeño/-a.

Un/-a amigo/-a de la infancia.

4. Subraya la mejor opción en cada caso.

1. La última vez que vi a Carla **tuvo** / **tenía** muy buen aspecto.
2. Cuando conocí a Paula **llevaba** / **llevó** el pelo teñido.
3. **Pasaba** / **pasé** dos años en Londres; fueron los años más felices de mi vida.
4. El otro día vino Lara a casa; quería tomar café, pero no **teníamos** / **tuvimos**.
5. Compré un vino muy caro, lo guardé en el armario y el día de mi cumpleaños lo **abrí** / **abría** para tomarlo con mis amigos.
6. Ana tenía una casa preciosa en el centro, pero **era** / **fue** muy vieja y no tenía calefacción. Al final se mudó.
7. Antes **venía** / **vine** mucho a este bar, pero luego me fui a vivir a otro barrio y dejé de venir.
8. Ramón jugaba al fútbol en un equipo profesional, pero un día **tenía** / **tuvo** un accidente, se rompió una pierna y tuvo que dejar el fútbol.
9. Miguel nunca salía de casa, pero en enero del año pasado **conocía** / **conoció** a una chica por internet y su vida cambió totalmente.
10. A los 12 años, descubrieron que Marquitos **era** / **fue** miope y le pusieron gafas, claro.

MÁS EJERCICIOS

5. Imagina que te ha pasado algo sorprendente. Escribe una carta explicándolo. Aquí tienes una serie de elementos que te pueden ayudar, pero, si lo necesitas, puedes modificarlos, usar otros o cambiar las personas. Utiliza también los marcadores temporales necesarios.

CIRCUNSTANCIAS
Llovía / Hacía sol
Era muy guapo/-a, feo/-a, raro/-a...
Tenía mucha hambre
Yo estaba enamorado/-a de...
Nadie de mi familia lo sabía
Estaba enfermo/-a
Tenía mucho sueño
Quería ir / volver a...
No tenía dinero
Me sentía mal

ACONTECIMIENTOS
Llegué tarde a...
El teléfono sonó...
Alguien llamó a la puerta...
No me desperté
Apareció un...
Tuve que...
Me encontré una cartera / un perro...
Me dormí en el bus / tren / metro...
Alguien me...

6. Daniel es un chico que no tiene demasiada suerte. Todo le sale mal. Continúa estas frases contando algunas de las cosas que le han pasado últimamente.

1. El otro día Daniel estaba en su casa y, de repente,

....

2. El sábado por la noche quería ir a bailar, pero, al final,

....

3. Estaba escuchando música en su casa y, de pronto,

....

4. Iba en autobús a la escuela y, de repente,

....

5. Era de noche y no había nadie en la calle. Un coche se paró a su lado y entonces ....

....

7. Subraya la opción adecuada en cada frase.

1 Fui a visitar a Patricia al hospital, pero no pude verla porque en ese momento **estuvo** / **estaba** descansando.

2 En los Alpes **estuvimos** / **estábamos** tres días sin salir de casa por el mal tiempo.

3 **Estuvo** / **Estaba** viviendo unos meses en Alemania, pero no aprendió ni una palabra de alemán.

4 Llegué muy tarde al restaurante y mis amigos ya **estuvieron** / **estaban** tomando el té.

5 Me llamó por teléfono, pero no lo oí porque **estuve** / **estaba** escuchando música en mi cuarto.

6 Me lo pasé genial en la fiesta; **estuve** / **estaba** bailando todo el tiempo.

8. Completa la siguiente anécdota.

al final	entonces	un día
al día siguiente		resulta que

Hace unos años hice un viaje con unas amigas a Portugal y nos pasó una cosa... .... teníamos un coche alquilado y .... llegamos tarde a un camping. Era de noche y, claro, decidimos dejar las luces del coche encendidas porque teníamos que montar la tienda y no teníamos linterna. Terminamos de montar la tienda y nos fuimos a dormir.
.... teníamos que irnos y .... nos dimos cuenta de que no teníamos batería.
Tuvimos que pedir ayuda a un grupo de turistas holandeses. Entre todos empujamos el coche y .... conseguimos ponerlo en marcha. Nos reímos muchísimo.

9. Así empieza una historia de miedo. Contínuala.

Elena estaba en el campo con unos amigos,
pero tuvo la mala suerte de perderse. Se
estaba haciendo de noche y vio una casa,
decidió entrar...

....

....

....

....

....

....

....

....

....

....

....

....

10. Vas a escuchar tres anécdotas. Marca a cuál de ellas se refieren estas frases.

60 - 62

	1	2	3
1. Cenó dos veces.			
2. Pasó mucho miedo.			
3. Le pidió un autógrafo a un chico porque pensaba que era un actor famoso.			
4. Se quedó sin gasolina en una carretera de montaña por la noche.			
5. No quería decirle a su novio que iba a cenar con su ex.			
6. Pasó mucha vergüenza.			
7. Salió con él y unos amigos.			

11. Busca información en internet sobre una de estas leyendas y completa la ficha.

El Dorado   La Llorona   La leyenda de Sant Jordi

Es una leyenda originaria de: ....

Los personajes son ....

....

Cuenta que...

....

....

....

....

....

....

....

....

MÁS EJERCICIOS

63

12. Escucha. ¿Se pronuncian igual las formas del infinitivo y del pretérito indefinido?

INFINITIVO	PRETÉRITO INDEFINIDO
lle**gar**	lle**gué**
empe**zar**	empe**cé**
bus**car**	bus**qué**
averi**guar**	averi**güé**

13. Ahora escribe las formas del indefinido de estos infinitivos. Ten en cuenta los cambios ortográficos.

- jugar ⟶ ....
  (1ª persona del pretérito indefinido)

- Utilizar ⟶ ....
  (1ª persona del pretérito indefinido)

- Hacer ⟶ ....
  (3ª persona del pretérito indefinido)

- Marcar ⟶ ....
  (1ª persona del pretérito indefinido)

- Rechazar ⟶ ....
  (1ª persona del pretérito indefinido)

LÉXICO

14. Coloca estas expresiones en el lugar más adecuado.

Pasé mucho miedo	Pasé mucha vergüenza
Me reí un montón	Me emocioné

1. Un día estaba limpiando la casa y oí música en la habitación de mi hijo de tres años. Entré y ¡vi que estaba bailando con el perro! ....

2. Un día estaba criticando a una profesora en la escuela y de repente me giré y resulta que la profesora estaba ahí y me estaba escuchando.

....

3. Trabajé durante unos años en una escuela. Cuando me fui, los niños me regalaron unas flores y me recitaron un poema que habían escrito para mí.

.... y empecé a llorar.

4. El verano pasado pasé unos días sola en una casa de campo. Una noche, empecé a oír ruidos y pensaba que era un ladrón. ...., pero al final me di cuenta de que solo era el viento.

15. Piensa en cosas o situaciones que te provocan las siguientes emociones y escríbelas en cada cuadro.

Cosas que me aburren

Cosas que me dan miedo

Cosas que me emocionan

Cosas que me hacen reír

16. Relaciona los elementos de las dos columnas para formar expresiones que pueden aparecer en textos históricos.

morir	a un ejército
entrar	asesinado/-a
dar	un rescate
asumir	el gobierno de un país
unirse	a la guerra
poner fin	un golpe de Estado
pedir	en guerra

17. Lee estas frases y fíjate en la expresión en negrita. ¿Cómo la traducirías a tu lengua?

1. Resulta que se me rompió la cremallera del vestido, pero yo no **me di cuenta** porque estaba bailando con Daniel, un chico que me encanta.

2. Entonces probé la tarta y **me di cuenta** de que estaba malísima porque estaba salada... ¡Qué vergüenza!

18. Mi vocabulario. Anota las palabras de la unidad que quieres recordar.

MENSAJES

64 - 66

1. Hoy Bibiana ha hablado por teléfono con tres personas. Escucha las conversaciones y completa el cuadro.

	CON QUIÉN HABLA	PARA QUÉ LLAMA BIBIANA	QUÉ DICE LA OTRA PERSONA
1			
2			
3			

2. Completa el mail y la carta con las siguientes expresiones.

apreciados clientes   le informamos de que   en relación al   estimada Sra.   le agradecemos

le reiteramos   un cordial saludo   les adjunto

Para: pedidos@seprotec.dif

.... :

Como cada año por estas fechas, ...

la nueva lista de precios de nuestros productos

para el próximo año.

.... ,

Aurora Jurado
INDIFEX
C/ Ribera, 4228924 Alcorcón (Madrid)
www.indifex.es

OLATZ BATEA RODRÍGUEZ
Avda. de Madrid, 23
20011 San Sebastián

.... :

Ante todo, ... la confianza que

deposita en ALDA SEGUROS y ....

nuestro compromiso de ofrecerle siempre la máxima

protección y un alto servicio de calidad. ....

seguro de su vehículo, ...

el día 01/04/2014 se produce el vencimiento de su póliza, cuyo

importe para la próxima anualidad es de 409,80 euros.

Atentamente,
Director General

3. Completa estos diálogos con las siguientes expresiones.

| sirve para | se dice | lo contrario |

| es como | puedes repetir |

1

- Víctor es un chico muy... ay, ¿cómo se dice?
  Es .... de "egoísta".
- ¿Generoso?
- Eso, es muy generoso.

2

- ¿Me dejas un momento el... ay, eso que
  .... escribir...
- El boli.
- Sí.

3

- ¿Quieres venir al cine con nosotros hoy?
- ¿Cómo? Perdona, ¿ .... ?
  Es que no te he entendido bien....
- Sí, que si quieres venir al cine hoy con nosotros.

4

- Quiero escribir un... ay... una... eso que ....
  una carta, pero que se envía sin sobre.
- Una postal.
- Sí, eso, quiero escribir una postal a mis padres.

5

- Mañana es el cumpleaños de Antonia. Tenemos que
  hacerle una... ¿Cómo .... ?
- Una tarta.
- Sí, de chocolate, que son las que le gustan a ella.

4. Laura ha recibido un correo electrónico de Alberto y se lo cuenta a Beatriz, su compañera de trabajo. Lee la conversación e intenta escribir el correo electrónico de Alberto.

- Hoy he recibido un mail de Alberto.
- ¿Ah, sí? ¿Y qué dice?
- Que está muy contento con su nuevo trabajo. Ah, y que le gusta mucho Londres. Me ha propuesto ir a pasar este fin de semana con él.
- ¡Qué bien!, ¿no? ¿Y qué más te cuenta?
- Bueno, pues nada, cosas personales...
- ¿Cómo qué?
- Pues me pregunta si le quiero, si pienso mucho en él...
- Ya...
- Sí, y dice que está muy enamorado de mí y que me quiere mucho.
- ¡Qué bien!, ¿no?

Para: laura@aula.es

5. Escucha cada una de estas preguntas que te han hecho hoy. ¿Cómo se lo cuentas a otra persona? Escríbelo.

67

1. Mi madre me ha preguntado ....

2. Antonio me ha preguntado ....

3. Mario me ha preguntado ....

4. Miguel y Lucía me han preguntado ....

5. Elena me ha preguntado ....

6. El kioskero de la esquina me ha preguntado ....

7. María me ha preguntado ....

8. Sara me ha preguntado ....

9. Alicia me ha preguntado ....

10. La recepcionista de la escuela me ha preguntado ....

6. Escribe cómo le cuentas a un amigo las cosas que te han dicho. Tienes que usar los siguientes verbos.

me ha recomendado   me ha dicho que
me ha pedido   me ha invitado
me ha dado las gracias por   me ha felicitado por
me ha recordado que

1. Carlos: "Tienes que visitar el Museo de Arqueología, es muy interesante."

Carlos me ha recomendado ir al Museo de Arqueología.

2. Juan: "¿Me dejas el coche para el fin de semana?"

3. Un vecino: "Hago una fiesta esta noche, ¿quieres venir?"

4. Lucía: "He conocido a un chico simpatiquísimo."

5. Graciela: "Gracias por acompañarme hasta el hotel."

6. La recepcionista de la escuela: "Recuerda que mañana tienes que pagar el curso."

7. Tu profesor de español: "Enhorabuena. Tu redacción está muy bien escrita."

7. Completa con preposiciones, si son necesarias.

1. ● Te marchas esta tarde, ¿no? ¿Ya te has despedido .... los abuelos?
○ Sí. Los he llamado hace un rato.

2. Esta mañana el profesor ha felicitado .... Jutta .... sus notas.

3. Luis siempre les pide .... dinero .... sus amigos.

4. Mucha gente salió a la calle .... protestar .... la guerra.

5. Esta mañana me he encontrado a Carlos y me ha preguntado .... ti.

6. ¿Ya le has dado las gracias .... tu hermano .... el regalo?

7. ● ¿Sabes que Luis y Cruz no han invitado .... Julián .... su boda?
○ ¿En serio? ¡Pero si son superamigos!

8. ● Le recomendé .... mi novio *Los hombres que no amaban a las mujeres*, pero no le gustó nada.
○ Ah, pues a mí me gustó mucho.

9. Ayer le comenté .... un amigo los resultados de los análisis.

10. ● ¿Qué me recomienda?
○ Le sugiero .... nuestra especialidad: pescado al horno.

8. Lee esta nota y reescríbela en tu cuaderno sustituyendo los verbos inventados (que están entre comillas) por otros verbos.

Marta:

Esta noche voy a "gallar" tarde a casa. Te he "mallido" varias veces pero "notías" el móvil "agapido". Si quieres "mallerme", "teseré" en el restaurante Los Garbanzos. Mi teléfono es el 688 99 99 56.

Un beso muy grande.

Antonio

9. Lee este artículo del escritor Juan José Millás sobre la arroba y contesta las preguntas.

LA ARROBA es una unidad de medida cuyo símbolo (@) se ha instalado en la jerga informática tras realizar un viaje alucinante a través de los siglos. Quiso el azar que cuando el inventor del correo electrónico buscaba en la parte alta de su teclado un carácter con el que separar el nombre del destinatario del nombre del servidor, eligiera ese hermoso grafismo, que originalmente representaba un ánfora. Ni en sus más delirantes fantasías habría podido imaginar el autor de este símbolo un futuro tan brillante para su garabato, que se encuentra, por cierto, en la frontera entre la escritura y el dibujo como la estrella de mar (que parece un logotipo) vive en la línea que divide el mundo vegetal del animal. Cualquier diseñador daría el brazo izquierdo a cambio de que una creación suya, además de resistir el paso del tiempo de ese modo, acabara convirtiéndose en el emblema de las tecnologías del porvenir.

Pero eso no es todo. Recibo continuamente invitaciones, circulares o cartas que en vez de comenzar con un queridos amigos y queridas amigas, comienzan con un querid@s amig@s. Su uso está tan generalizado que casi podemos afirmar que nuestro alfabeto se ha enriquecido con una nueva y rara vocal que sirve de manera indistinta para el masculino y el femenino porque es simultáneamente una o y una a. Mira por dónde, el símbolo de una antiquísima unidad de medida (parece que procede del siglo XVI) ha venido a resolver una insuficiencia del lenguaje, pues el queridos amigos utilizado hasta hace poco resulta machista o excluyente y el queridos amigos y queridas amigas resulta fatigoso.

Ya no hay problema. Coloque usted, como vienen haciendo algunos adelantados, en el encabezamiento de sus cartas, de sus circulares, de su publicidad, un querid@s alumn@s, un estimad@s compañer@s, un ilustrísim@s diputad@s, y matará dos pájaros de un tiro sin ofender a ninguno de los dos. Esperamos ansiosos que la Academia se pronuncie ante este grafismo polivalente que ha ensanchado por sorpresa nuestro alfabeto y, de paso, que le invente un sonido, pues no vemos el modo de utilizarlo en el lenguaje hablado con la facilidad con la que se ha introducido en el escrito.

JUAN JOSÉ MILLÁS, El País, (30/04/2004)

1. ¿De dónde viene este símbolo? ¿Qué representaba antes de internet?

2. ¿Por qué dice que es un "grafismo polivalente"? ¿Para qué se usa en español la arroba?

3. ¿A qué frase equivale "querid@s amig@s"?

4. ¿Crees que al autor le gusta el símbolo de la arroba? ¿Por qué?

5. ¿Cómo se llama la arroba en tu lengua? ¿Se utiliza para algo más que para escribir la dirección de los correos electrónicos?

MÁS EJERCICIOS

SONIDOS Y LETRAS

10. Vas a escuchar unas palabras. ¿Puedes relacionarlas con las siguientes abreviaturas?

68

xq ◯   sta ◯

sbd ◯   xa ◯

hla ①   cnd ◯

tb ◯   lnes ◯

tng ◯   xmen ◯

dl ◯   pdo ◯

kdms ◯   ktl ◯

studiar ◯   ht lg ◯

ksa ◯   mxo ◯

11. Ahora lee estos SMS que unos amigos se enviaron el sábado por la tarde. ¿Puedes descifrarlos?

1
kdms sbd 5h dlante dl cine.

2
Hla, n pdo slir, tng q studiar xa xmen d fisik dl lnes. Bss

3
Viens al cine sta trde? Vams a ver la ultma d JmsBnd. Creo q tb vndra Krlos ;-)

4
ktl? cnd kdms? tns tmp hoy? ymm + trd a ksa. tqr mxo

LÉXICO

12. Traduce estas frases a tu lengua. ¿La estructura de los verbos marcados en negrita se parece a la de tu lengua?

Ricardo siempre **protesta por** todo. ....

Yolanda **me ha dado las gracias por** el regalo de boda.
....

¿Has **saludado a** Ana? ....

He **invitado a** Diana **a** cenar esta noche. ....

Raúl **me ha recomendado** una película japonesa. ....

Tina **me ha comentado que** te has cambiado de piso. ....

13. Haz una frase con cada uno de estos verbos, contando algo sobre ti. Fíjate en si debes usar preposiciones o no y de qué proposiciones se trata.

Despedirse *Este verano mis padres me llevaron al aeropuerto y me despedí de ellos en el vestíbulo*

Felicitar ....

Protestar ....

Sugerir ....

Saludar ....

Dar las gracias ....

Invitar ....

Recomendar ....

14. ¿Sabes a qué palabras corresponden las siguientes explicaciones? Escríbelas.

1. Es un lugar donde se sirven comidas y bebidas, que se consumen en ese mismo local y que tienen un precio: ....

2. Es un pastel de forma redonda, normalmente relleno de algo (frutas, crema, chocolate):

....

3. Es un aparato portátil para hablar por teléfono:

....

4. Es lo contrario de antipático:

....

5. Es un texto que sirve para resumir nuestra formación y experiencia profesional y que enviamos para buscar trabajo: ....

15. Describe las siguientes cosas sin mencionar su nombre. Puedes hablar de su color, forma, decir para qué sirven, poner un ejemplo, etc.

carta: ....

....

armario: ....

....

nadar: ....

....

ordenador: ....

....

alto: ....

....

teléfono: ....

....

16. Escribe en tu cuaderno la información que se pide para cada una de las siguientes palabras.

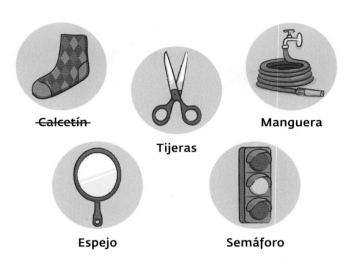

~~Calcetín~~

Tijeras

Manguera

Espejo

Semáforo

¿Con qué lugar la asocias?
Con el armario de mi cuarto.

¿De qué material está hecho/-a?
De algodón, de lana...

¿Para qué sirve?
Para calentar los pies.

17. Mi vocabulario. Anota las palabras de la unidad que quieres recordar.

MAÑANA

1. Conjuga los siguientes verbos regulares en futuro.

	TRABAJAR	CORRER	VIVIR
(yo)			
(tú)			
(él/ella/ usted)			
(nosotros/ nosotras)			
(vosotros/ vosotras)			
(ellos/ellas/ ustedes)			

2. Ahora conjuga en futuro estos verbos irregulares.

	HACER	PODER	VENIR
(yo)			
(tú)			
(él/ella/ usted)			
(nosotros/ nosotras)			
(vosotros/ vosotras)			
(ellos/ellas/ ustedes)			

3. Completa las frases con la forma del futuro del verbo correspondiente.

poder	haber	llegar

aprobar	ir	ser	subir

acostarse	hablar	terminar

1. Se calcula que en la India .... unos 1 600 millones de habitantes en el año 2075.

2. Estoy cansado de trabajar tantas horas. Mañana creo que .... con mi jefe.

3. Mira, Juan, solamente .... el examen si estudias.

4. • ¿Todavía no han llegado?
○ No. Acaban de llamar. Estaban saliendo de la autopista, así que .... enseguida.

5. • ¿Ya sabes qué vas a hacer estas vacaciones?
○ Pues seguramente .... a Suiza, a ver a unos amigos.

6. Si compramos el piso este año, no .... ir de vacaciones.

7. Creo que Luis .... los estudios dentro de dos años.

8. Esta noche supongo que .... temprano. Estoy muerto.

9. Muy probablemente, las temperaturas .... en toda la península en las próximas horas.

10. La lucha contra el cambio climático .... el desafío más importante en las próximas décadas.

4. Relaciona cada frase con su réplica.

1. Si me voy a vivir a París, ¿vendrás a verme?

2. El lunes es la mudanza, ¿podréis ayudarnos?

3. Supongo que mañana me dirán la nota del último examen de la carrera.

4. ¿Dónde pondrán la nueva guardería del barrio?

a. Creo que habrá una reunión de vecinos para decidirlo.

b. Y si apruebas, ¿cómo lo celebrarás?

c. Vale, pero tendremos que pedirle la furgoneta a Blas.

d. Si me prometes que querrás acompañarme a todos los museos...

5. Responde a estas preguntas con una condición.

1. • ¿Qué vas a hacer este verano?

○ Si .... ,

....

2. • ¿Qué vas a regalarle a tu mejor amigo por su cumpleaños?

○ Si .... ,

....

3. • ¿Qué vas a cenar esta noche?

○ Depende. Si .... ,

....

4. • ¿Vas a salir este fin de semana?

○ Depende. Si .... ,

....

6. Relaciona los elementos de las dos columnas para formar predicciones del horóscopo de una revista.

1. Si tienes pareja...

2. Si te gusta viajar...

3. Si haces algo para ayudar a los demás...

4. Si tienes problemas con alguien de tu familia...

5. Si tienes problemas de dinero...

6. Si no tienes pareja...

7. Si no te cuidas un poco...

a. tendrás problemas de salud.

b. seguramente este año os iréis a vivir juntos.

c. posiblemente conocerás a alguien muy especial.

d. no debes preocuparte, porque alguien te prestará una buena cantidad.

e. recibirás una recompensa.

f. ¡enhorabuena!: este año visitarás muchos países por trabajo.

g. seguramente este año haréis las paces.

MÁS EJERCICIOS

7. ¿Cómo crees que será tu vida dentro de dos años? Escribe cinco frases.

1. ....
2. ....
3. ....
4. ....
5. ....

8. Escribe en tu cuaderno frases sobre tu futuro usando los siguientes elementos. Recuerda que puedes usar el presente, el futuro e **ir a** + infinitivo.

1. Al terminar este ejercicio...
2. Dentro de tres horas...
3. Pasado mañana...
4. El sábado por la noche...
5. El domingo por la mañana...
6. Al terminar el curso...
7. Las próximas Navidades...
8. Dentro de diez años...

9. Imagina cómo será el mundo dentro de 50 años. Escribe frases relacionadas con los siguientes aspectos.

1. Los coches: *Todos los coches serán eléctricos y habrá puntos en la ciudad para recargarlos gratis.*

2. La familia: ....

3. Las casas: ....

4. El transporte: ....

5. El ocio: ....

6. El trabajo: ....

7. La moda: ....

8. La política: ....

9. La educación: ....

10. ¿A qué tipo de texto corresponde cada muestra?

1 Tranquilo, seguro que no tendrás ningún problema, ya verás. ¿Nos vemos después de la reunión?

2 El galés Bale no jugará la final.

3 La ceremonia inaugural tendrá lugar en el Centro Cultural y estará presidida por el rector de la Universidad.

4 Esta ciudad necesita un cambio, estamos cansados de palabras y de promesas vacías. Nosotros reduciremos los impuestos, haremos accesibles muchos más servicios, construiremos una ciudad moderna, una ciudad para el futuro.

.... Mitin político

.... Mensaje de móvil

.... Titular de prensa

.... Invitación a un evento

11. Mari Luz está nerviosa y preocupada porque dentro de una semana tiene que viajar a Nueva York para participar en un congreso. Imagina que te escribe este correo electrónico. ¿Qué le dices para animarla y tranquilizarla? Escribe tu respuesta.

Para: estudiante@aula.es

¡Hola!

¿Qué tal todo? Bien, espero. ¡Yo, nerviosísima! Ya solo quedan tres días para el viaje a Nueva York. ¡Aaaahhhhh!

Ya lo tengo todo preparado, la conferencia, el visado, el billete... Pero tengo la impresión de que algo saldrá mal aquí en el aeropuerto, o al llegar a Nueva York... No sé... Y como mi inglés no es muy bueno, seguro que no entiendo a nadie, ni me entienden a mí. Además, nunca he estado en una ciudad tan grande y ¡nunca he participado en un congreso! Seguro que me pondré nerviosísima y que me equivocaré en algo, o que me faltará un papel o un dato o algo...

Bueno, lo único bueno que veo es que después de mi conferencia tengo dos días para disfrutar un poco, ver la ciudad y estar tranquila. Ya te contaré.

Besos,

Mari Luz

Para: mari_luz@aula.es

Hola Mari Luz:

Tranquila, todo saldrá bien, ya verás...

12. Escucha otra vez la conversación entre Eva y la adivina (actividad 11, página 91) y completa los espacios que faltan.

69

- Vamos a ver qué es lo que veo para ti... Mira, ... a un país extranjero dentro de uno o dos años.

○ ¿Me iré a un país extranjero? ¿Y a hacer qué?

- Pues déjame ver, déjame ver... Será... por trabajo. .... muy interesante relacionado con el cine...

○ ¿Sí? ¿Con el cine? Es que soy actriz... ¿Entonces .... algún día?

- Sí, corazón, serás muy famosa y ...., te harás muy rica.

○ ¿Y en el amor?

- Vamos a ver... ¡Ah, sí! Mira... .... que te .... mucho, pero nunca ....

○ ¿Y por qué no?

- Ay, cariño, no lo veo... No sé por qué, pero... Espera, espera, veo tres hijos... tres. Dos niñas y un niño. Sí, ...

○ ¡Pues qué bien! ¿Y ve alguna cosa más?

- No, ya no puedo ver nada más...

○ Bueno, ¿qué le debo?

- No sé, lo que a ti te parezca...

13. Escucha estas frases condicionales y fíjate en su curva de entonación.

70

Si vamos en coche, podremos ver el paisaje.

Si voy a la fiesta, me lo pasaré muy bien.

Si vamos a Rusia, podremos visitar Moscú.

La curva de entonación de las frases condicionales puede dividirse en dos partes, la primera tiene un final que sube y la segunda tiene un final que baja.

14. Busca en la unidad otras tres frases condicionales y léelas en voz alta intentando hacer este tipo de entonación.

15. Escribe el verbo correspondiente a los siguientes sustantivos.

1. el aumento: *aumentar*
2. la lucha: ....
3. la emigración: ....
4. la solución: ....
5. la desaparición: ....
6. el ahorro: ....
7. el pronóstico: ....
8. la solución: ....
9. la colaboración: ....
10. la amenaza: ....

16. Relaciona los elementos de las dos columnas.

1. Energía
2. Aumento
3. Cambio
4. Intereses
5. Temperatura
6. Especie

a. en extinción
b. renovable
c. del nivel del mar
d. climático
e. media
f. económicos

17. Relaciona los elementos de las dos columnas para formar combinaciones posibles. Escríbelas.

tener
hacer las
pasarlo
lograr
pedir
hacer
tomar
ir

paces
bien
decisiones
éxito
negocios
resultados
ayuda
obligaciones
planes
paso a paso

tener éxito, tener obligaciones... ....
....
....
....
....
....
....
....
....
....

18. Las siguientes palabras aparecen en la unidad. ¿Puedes completar la tabla con palabras de la misma familia?

SUSTANTIVO	VERBO	ADJETIVO
peligro		
		renovable
	cooperar	
lucha		
contaminación		
		innovador
responsabilidad		
preocupación		
residencia		
	separarse	

19. Mi vocabulario. Anota las palabras de la unidad que quieres recordar.

VA Y LE DICE...

1. Estas son algunas películas adaptadas de libros en español. Elige una y busca información sobre la obra literaria (autor, siglo, género, nacionalidad...) y sobre la película (director, actores principales, año...). Luego, resume el argumento de la obra.

> **La casa de los espíritus**
> **Soldados de Salamina**
> **El perro del Hortelano**
> **El capitán Alatriste**
> **La lengua de las mariposas**
> **Crónica de una muerte anunciada**
> **Don Quijote de la Mancha**
> **Los girasoles ciegos**

2. Escribe el título y la sinopsis de dos películas que te hayan gustado mucho.

Título:

Sinopsis:

Título:

Sinopsis:

3. ¿Cuál es tu programa de televisión favorito? ¿Cómo se llama? ¿De qué va? ¿Por qué te gusta? Escríbelo.

> Mi programa favorito se llama "Superquark".
> Lo dan en la Rai 1. Es un programa de
> divulgación cultural. Aprendes mucho y...

4. Identifica los **OD** y los **OI**.

1. Decir <u>algo</u> <u>a alguien</u>.
         OD   OI

2. Conocer <u>a alguien</u>.

3. Abandonar <u>a alguien</u>.

4. Pedir <u>algo</u> <u>a alguien</u>.

5. Dar <u>algo</u> <u>a alguien</u>.

6. Ver <u>a alguien</u>.

7. Ver <u>algo</u>.

8. Robar <u>algo</u> <u>a alguien</u>.

9. Querer <u>a alguien</u>.

5. ¿**Le** o **la**?

- ¿Daniel va a ir a la fiesta de Noelia mañana?
- No, ... ha dicho a Juana que no va a poder ir. Pero .... ha comprado un regalo muy chulo.

- Fede tiene muy buena relación con su madre, ¿no?
- Sí, ... ve todos los días.
- Se nota que .... quiere mucho.

3

- Marta se pasa todo el día delante del ordenador. Dice que .... envían más de cien mails de trabajo al día.
- Sí, trabaja un montón. Además sus compañeros no paran de pedir .... favores y preguntar .... cosas...

- ¿Qué .... regalamos a Carmen para su cumpleaños?
- No sé, a ver qué dice David... Él .... conoce muy bien.

6. Este es el resumen de una obra de teatro infantil basada en una antigua leyenda vasca. Complétalo con los pronombres necesarios.

José, un joven pastor, encuentra un día, a la entrada de una cueva, a una joven bellísima que se está peinando con un peine de oro. Cuando .... ve, José se enamora inmediatamente de la joven y .... pide casarse con ella. La misteriosa joven .... pone una condición. Para casarse con ella, él debe acertar cuántos años tiene. José vuelve a su pueblo y .... pide ayuda a una vecina, que .... promete averiguar .... Para ello, la vecina va a aquella misma cueva, se pone de espaldas a esta y .... enseña el trasero. Asustada, la bella joven exclama: "¡En los ciento cinco años que tengo, jamás he visto nada igual!". La mujer vuelve al pueblo y .... comunica a José la edad de la misteriosa mujer. De ese modo, cuando al día siguiente José va a ver a la joven y esta .... recibe en su cueva, José acierta la edad de la bella, por lo que esta acepta casarse con él. Sin embargo, antes del matrimonio José .... comenta el asunto a sus padres. Sus ancianos padres .... advierten de que su amada puede ser una lamía, un hada de las montañas y .... dicen que, antes de casarse, debe ver .... los pies para saber si es humana o no. Al día siguiente, José encuentra de nuevo a la bella joven y .... obliga a enseñar .... los pies; cuando .... enseña, José comprueba que no son humanos, sino pies de pato. Así, confirma que es una lamía. El joven rompe de inmediato su compromiso y no se casa, pero como está muy enamorado, enferma de tristeza y muere. El día de su funeral, las campanas de la iglesia tocan por la muerte de José. Cuando la lamía .... oye, va al pueblo para decir .... adiós.

7. Relaciona las preguntas con las respuestas.

1. ¿Has visto la última película de Guillermo del Toro?

2. ¿Has visto el nuevo hotel de la calle Trafalgar?

3. ¿Has visto los pantalones que lleva Katia?

4. ¿Le has dicho a Pedro que no vas a ir a la fiesta?

5. ¿Les has dicho a tus padres que has suspendido?

6. ¿Le has contado a Julia todos nuestros secretos?

a. No, todavía no se lo he comentado.

b. No, no les he dicho nada.

c. No, no se los he contado a nadie.

d. Sí, la vi la semana pasada.

e. No, no los he visto. ¿Cómo son?

f. No, no lo he visto. ¿Es bonito?

8. Este es el argumento de la novela *El amor en los tiempos del cólera*, de Gabriel García Márquez. ¿Puedes volver a escribir los fragmentos en negrita usando pronombres?

Florentino Ariza se enamora de Fermina Daza **cuando ve a Fermina Daza** en su casa, en Cartagena de Indias. Desde ese día, **escribe a Fermina Daza** cartas de amor. Ella **lee las cartas** y poco a poco se enamora de él. Sin embargo, el padre de Fermina se opone a esta relación y **envía a Fermina** lejos de Cartagena de Indias para **alejar a Fermina** de él. Pasa el tiempo, y Fermina se casa con el doctor Juvenal Urbino. Sin embargo, Florentino sigue enamorado de ella. Muchos años después, cuando el marido de Fermina muere, Florentino **va a ver a Fermina** para **declarar a Fermina** su amor y **decir a Fermina** que está dispuesto a casarse con ella. Ella **rechaza a Florentino**, pero él no se rinde y **empieza a enviar cartas a Fermina** hasta que ella accede a **ver a Florentino**. Así empieza una relación de amistad entre ellos. Un día deciden hacer un viaje en barco, por el río Magdalena. Es allí cuando 53 años después pueden estar finalmente juntos.

9. Escribe en tu cuaderno frases con elementos de las dos cajas, usando **como** y **porque**.

CAUSA
- se enamoró de un alemán
- se ha roto la pierna
- han tenido un hijo
- se quedó sin trabajo
- les gusta mucho la playa

CONSECUENCIA
- tuvo que volver a casa de sus padres
- se fue a vivir a Berlín
- van siempre de vacaciones a la costa
- se han mudado a un piso más grande
- no puede andar

Como se enamoró de un alemán, se fue a vivir a Berlín.

10. Imagina que una tía lejana te ha dejado como herencia todas estas cosas. ¿Qué vas a hacer con ellas? ¿Qué cosas te vas a quedar? ¿Qué cosas vas a vender o regalar? ¿A quién? ¿Por qué? Escríbelo.

un televisor panorámico

una casa en la playa

un cuadro de Picasso

una cama con dosel

un reloj de oro

un loro

un Mercedes

una máquina de escribir

un vestido de novia

una guitarra española

una colección de discos de jazz

una peluca

un gato

El loro me lo voy a quedar. Me encantan los animales.

El gato ....

La televisión ....

El vestido de novia ....

La cama ....

El cuadro ....

El coche ....

Los discos ....

El reloj de oro ....

La peluca ....

La guitarra ....

La máquina de escribir ....

La casa ....

11. Continúa las frases de forma lógica.

1. **Aunque** tiene tres hijos, ...

....

2. **Como** tiene tres hijos, ...

....

3. Pili no viaja con nosotros a Japón **porque** ....

....

4. Pili no viaja con nosotros a Japón, **pero** ....

....

5. Tiene un trabajo muy bueno. **Sin embargo**, ...

....

6. **Aunque** tiene un trabajo muy bueno, ...

....

12. Vas a escuchar una historia. Marca cuál de las dos afirmaciones es la verdadera en cada caso.

71

1
a. En un bar, un camarero le dice que tiene una llamada.
b. En un bar, una chica le deja una nota.

2
a. El mensaje es que una chica lo espera en un bar.
b. El mensaje es que una chica lo espera en un parque.

3
a. En el lugar acordado, se encuentra con la chica.
b. En el lugar acordado, no está la chica; solo hay una pareja.

4
a. Al final descubre que era una broma de su hermana.
b. Al final descubre que la mujer es una chica que está enamorada de él y que se lo quiere decir.

13. Esta es la transcripción del diálogo de la actividad anterior. Complétala con los siguientes conectores. Luego, vuelve a escuchar el diálogo y comprueba.

72

porque   como   al final   y entonces

es que   en aquel momento   de repente

• Pues el sábado pasado estaba tomando un café en el parque que hay al lado de mi casa... cuando, ..., el camarero se acerca a mi mesa y me dice que tengo una llamada. Bueno... "un poco extraño", pensé. Me pongo al teléfono y una voz de mujer medio distorsionada me dice: "Tenemos que vernos en el Parque Central dentro de media hora. Voy a estar detrás del tercer árbol que hay entrando a la derecha."

○ Pues sí que es raro, sí...

• Pues la verdad es que sí. Pero bueno, yo me subo a mi Chevrolet descapotable y voy al parque. A medida que me iba acercando, me ponía cada vez más contento ...., claro, pensaba que era una chica que me gusta y pensaba que ella también estaba enamorada de mí y me quería dar una sorpresa declarándose así...

• ¿En serio?

○ Ya, ya sé que es raro, pero no sé, a mí siempre me han gustado este tipo de sorpresas... No sé, ... yo soy muy romántico...

• Ya...

○ Bueno, ..., cruzo la ciudad a toda velocidad y llego al parque diez minutos antes de la hora prevista. Entro en el parque y me dirijo al sitio donde me ha dicho la chica. ....

....................., veo a una pareja, un chico rubio y una chica morena, justo en ese lugar, pero la chica no estaba. Así que me siento en un banco a esperarla. Pero .... al cabo de tres cuartos de hora la chica todavía no ha aparecido... pues .... decido volver a casa.

• Hmm... vaya.

○ Sí, pero, espera, espera, cuando llego a casa, me encuentro una nota en la puerta que dice: "Feliz día de los inocentes. Tu hermana, Rosa".

SONIDOS Y LETRAS

73

14. Escucha estos trabalenguas. Luego léelos tú. ¿Eres capaz de hacerlo en poco tiempo?

> En todos los idiomas existen juegos de palabras formados por sonidos que, juntos, son difíciles de pronunciar. Se llaman trabalenguas, aunque, en algunos lugares también son conocidos como "destrabalenguas" o "quiebralenguas". La gracia de estas pequeñas composiciones está en decirlas sin parar, de forma rápida y clara, y sin equivocarse.

1 — ¿USTED NO NADA NADA?
— NO, NO TRAJE TRAJE.

2 NO ME MIRES, QUE MIRAN QUE NOS MIRAMOS,
Y VERÁN EN TUS OJOS QUE NOS AMAMOS.

3 ¡QUÉ COL COLOSAL COLOCÓ EN AQUEL LOCAL EL LOCO AQUEL!

4 PABLITO CLAVÓ UN CLAVITO.
¿QUÉ CLAVITO CLAVÓ PABLITO?

5 UN BURRO COMÍA BERROS Y EL PERRO SE LOS ROBÓ,
EL BURRO LANZÓ UN REBUZNO Y EL PERRO AL BARRO CAYÓ.

6 ME HAN DICHO QUE HAS DICHO UN DICHO
QUE HAN DICHO QUE HE DICHO,
Y EL QUE LO HA DICHO MINTIÓ.

7 — COMPADRE, CÓMPREME UN COCO.
— COMPADRE, NO COMPRO COCO,
PORQUE COMO POCO COCO COMO,
POCO COCO COMPRO, COMPADRE.

8 CUANDO CUENTAS CUENTOS,
NUNCA CUENTAS CUÁNTOS CUENTOS CUENTAS.

9 ¿CÓMO COMO? ¡COMO COMO COMO!

15. Intenta crear tu propio trabalenguas en español con sonidos difíciles y palabras con sonidos similares.

16. En parejas, volved a escuchar los diálogos de la actividad 1 (página 94) y representadlos. Intentad que vuestra pronunciación y vuestra entonación sean lo más parecidas posibles a las de los nativos.
74 - 77

1
- ¿A que no sabes a quién vi ayer? A Sara y Álex, en el parque, cogidos de la mano.
- No.
- Sí, tío, muy fuerte. Mira, salgo de casa para ir a la biblioteca, paso por el parque y, de repente, oigo un ruido, me giro y los veo allí en un banco.
- ¿Y te vieron?
- No lo sé, yo creo que sí.

2
- Está muy bien, te la recomiendo.
- ¿De qué va?
- Es una historia que ocurre en la guerra civil. Va de una niña que descubre un laberinto en el que vive un fauno y le pone pruebas...
- Ah, ¿es esa en la que sale Maribel Verdú?
- Sí, y Sergi López.

3
- Me sé un chiste muy bueno. En la consulta del médico, llega uno y dice: "Doctor, doctor, nadie me hace caso". Y el doctor le contesta: "El siguiente, por favor".
- Yo me sé otro de médicos. Llega un paciente y dice: "Doctor, vengo a que me reconozca". Y el doctor: "Pues ahora mismo no caigo".
- ¡Qué malo!

4
- Bueno, pues entonces va y Gonzalo le dice...
- No, jo, no me cuentes más, que todavía no he visto el capítulo.

LÉXICO

17. ¿Con qué palabras asocias estos tipos de películas?

De ciencia ficción: *naves espaciales, futuro,* ....

....

De amor: ....

....

De misterio: ....

....

De aventuras: ....

....

De guerra: ....

....

De terror: ....

....

Del oeste: ....

....

Histórica: ....

....

18. En tu vida diaria, ¿qué sueles…

1. recomendar? ....

....

2. devolver? ....

....

3. contar? ....

....

4. dejar? ....

....

5. pedir prestado? ....

....

6. enviar? ....

....

19. Escribe en tu cuaderno cuáles de las cosas de la actividad anterior has hecho últimamente.

La semana pasada le recomendé "Avatar" a un compañero de clase. Es mi película favorita.

20. Anota todas las palabras que sabes relacionadas con estos temas. Puedes buscar más palabras en la unidad, en un diccionario o en internet.

Películas
director, guión, actriz, géneros...

Literatura
novela, poesía, escritor...

Televisión
programa, canal, informativo...

21. Mi vocabulario. Anota las palabras de la unidad que quieres recordar.

VERBOS

REGULARES

PRESENTE	PRETÉRITO IMPERFECTO	PRETÉRITO INDEFINIDO	PRETÉRITO PERFECTO verbo **haber** + participio	IMPERATIVO AFIRMATIVO	IMPERATIVO NEGATIVO	FUTURO IMPERFECTO

estudiar
Gerundio: **estudi**ando
Participio: **estudi**ado

PRESENTE	PRETÉRITO IMPERFECTO	PRETÉRITO INDEFINIDO	PRETÉRITO PERFECTO	IMPERATIVO AFIRMATIVO	IMPERATIVO NEGATIVO	FUTURO IMPERFECTO
estudio	estudiaba	estudié	he estudiado			estudiaré
estudias	estudiabas	estudiaste	has estudiado	estudia	no estudies	estudiarás
estudia	estudiaba	estudió	ha estudiado	estudie	no estudie	estudiará
estudiamos	estudiábamos	estudiamos	hemos estudiado			estudiaremos
estudiáis	estudiabais	estudiasteis	habéis estudiado	estudiad	no estudiéis	estudiaréis
estudian	estudiaban	estudiaron	han estudiado	estudien	no estudien	estudiarán

comer
Gerundio: **com**iendo
Participio: **com**ido

PRESENTE	PRETÉRITO IMPERFECTO	PRETÉRITO INDEFINIDO	PRETÉRITO PERFECTO	IMPERATIVO AFIRMATIVO	IMPERATIVO NEGATIVO	FUTURO IMPERFECTO
como	comía	comí	he comido			comeré
comes	comías	comiste	has comido	come	no comas	comerás
come	comía	comió	ha comido	coma	no coma	comerá
comemos	comíamos	comimos	hemos comido			comeremos
coméis	comíais	comisteis	habéis comido	comed	no comáis	comeréis
comen	comían	comieron	han comido	coman	no coman	comerán

vivir
Gerundio: **viv**iendo
Participio: **viv**ido

PRESENTE	PRETÉRITO IMPERFECTO	PRETÉRITO INDEFINIDO	PRETÉRITO PERFECTO	IMPERATIVO AFIRMATIVO	IMPERATIVO NEGATIVO	FUTURO IMPERFECTO
vivo	vivía	viví	he vivido			viviré
vives	vivías	viviste	has vivido	vive	no vivas	vivirás
vive	vivía	vivió	ha vivido	viva	no viva	vivirá
vivimos	vivíamos	vivimos	hemos vivido			viviremos
vivís	vivíais	vivisteis	habéis vivido	vivid	no viváis	viviréis
viven	vivían	vivieron	han vivido	vivan	no vivan	vivirán

PARTICIPIOS IRREGULARES

abrir	**abierto**	freír	**frito / freído**	poner	**puesto**
cubrir	**cubierto**	hacer	**hecho**	romper	**roto**
decir	**dicho**	ir	**ido**	ver	**visto**
escribir	**escrito**	morir	**muerto**	volver	**vuelto**
resolver	**resuelto**				

IRREGULARES

PRESENTE	PRETÉRITO IMPERFECTO	PRETÉRITO INDEFINIDO	PRETÉRITO PERFECTO	IMPERATIVO AFIRMATIVO	IMPERATIVO NEGATIVO	FUTURO IMPERFECTO
actuar Gerundio: **actuando** Participio: **actuado**						
actúo	actuaba	actué	he actuado			actuaré
actúas	actuabas	actuaste	has actuado	actúa	no actúes	actuarás
actúa	actuaba	actuó	ha actuado	actúe	no actúe	actuará
actuamos	actuábamos	actuamos	hemos actuado			actuaremos
actuáis	actuabais	actuasteis	habéis actuado	actuad	no actuéis	actuaréis
actúan	actuaban	actuaron	han actuado	actúen	no actúen	actuarán
adquirir Gerundio: **adquiriendo** Participio: **adquirido**						
adquiero	adquiría	adquirí	he adquirido			adquiriré
adquieres	adquirías	adquiriste	has adquirido	adquiere	no adquieras	adquirirás
adquiere	adquiría	adquirió	ha adquirido	adquiera	no adquiera	adquirirá
adquirimos	adquiríamos	adquirimos	hemos adquirido			adquiriremos
adquirís	adquiríais	adquiristeis	habéis adquirido	adquirid	no adquiráis	adquiriréis
adquieren	adquirían	adquirieron	han adquirido	adquieran	no adquieran	adquirirán
andar Gerundio: **andando** Participio: **andado**						
ando	andaba	anduve	he andado			andaré
andas	andabas	anduviste	has andado	anda	no andes	andarás
anda	andaba	anduvo	ha andado	ande	no ande	andará
andamos	andábamos	anduvimos	hemos andado			andaremos
andáis	andabais	anduvisteis	habéis andado	andad	no andéis	andaréis
andan	andaban	anduvieron	han andado	anden	no anden	andarán
averiguar Gerundio: **averiguando** Participio: **averiguado**						
averiguo	averiguaba	averigüé	he averiguado			averiguaré
averiguas	averiguabas	averiguaste	has averiguado	averigua	no averigües	averiguarás
averigua	averiguaba	averiguó	ha averiguado	averigüe	no averigüe	averiguará
averiguamos	averiguábamos	averiguamos	hemos averiguado			averiguaremos
averiguáis	averiguabais	averiguasteis	habéis averiguado	averiguad	no averigüéis	averiguaréis
averiguan	averiguaban	averiguaron	han averiguado	averigüen	no averigüen	averiguarán
buscar Gerundio: **buscando** Participio: **buscado**						
busco	buscaba	busqué	he buscado			buscaré
buscas	buscabas	buscaste	has buscado	busca	no busques	buscarás
busca	buscaba	buscó	ha buscado	busque	no busque	buscará
buscamos	buscábamos	buscamos	hemos buscado			buscaremos
buscáis	buscabais	buscasteis	habéis buscado	buscad	no busquéis	buscaréis
buscan	buscaban	buscaron	han buscado	busquen	no busquen	buscarán
caer Gerundio: **cayendo** Participio: **caído**						
caigo	caía	caí	he caído			caeré
caes	caías	caíste	has caído	cae	no caigas	caerás
cae	caía	cayó	ha caído	caiga	no caiga	caerá
caemos	caíamos	caímos	hemos caído			caeremos
caéis	caíais	caísteis	habéis caído	caed	no caigáis	caeréis
caen	caían	cayeron	han caído	caigan	no caigan	caerán
coger Gerundio: **cogiendo** Participio: **cogido**						
cojo	cogía	cogí	he cogido			cogeré
coges	cogías	cogiste	has cogido	coge	no cojas	cogerás
coge	cogía	cogió	ha cogido	coja	no coja	cogerá
cogemos	cogíamos	cogimos	hemos cogido			cogeremos
cogéis	cogíais	cogisteis	habéis cogido	coged	no cojáis	cogeréis
cogen	cogían	cogieron	han cogido	cojan	no cojan	cogerán
colgar Gerundio: **colgando** Participio: **colgado**						
cuelgo	colgaba	colgué	he colgado			colgaré
cuelgas	colgabas	colgaste	has colgado	cuelga	no cuelgues	colgarás
cuelga	colgaba	colgó	ha colgado	cuelgue	no cuelgue	colgará
colgamos	colgábamos	colgamos	hemos colgado			colgaremos
colgáis	colgabais	colgasteis	habéis colgado	colgad	no colguéis	colgaréis
cuelgan	colgaban	colgaron	han colgado	cuelguen	no cuelguen	colgarán

VERBOS

PRESENTE	PRETÉRITO IMPERFECTO	PRETÉRITO INDEFINIDO	PRETÉRITO PERFECTO	IMPERATIVO AFIRMATIVO	IMPERATIVO NEGATIVO	FUTURO IMPERFECTO
comenzar Gerundio: **comenzando** Participio: **comenzado**						
comienzo	comenzaba	comencé	he comenzado			comenzaré
comienzas	comenzabas	comenzaste	has comenzado	comienza	no comiences	comenzarás
comienza	comenzaba	comenzó	ha comenzado	comience	no comience	comenzará
comenzamos	comenzábamos	comenzamos	hemos comenzado			comenzaremos
comenzáis	comenzabais	comenzasteis	habéis comenzado	comenzad	no comencéis	comenzaréis
comienzan	comenzaban	comenzaron	han comenzado	comiencen	no comiencen	comenzarán
conducir Gerundio: **conduciendo** Participio: **conducido**						
conduzco	conducía	conduje	he conducido			conduciré
conduces	conducías	condujiste	has conducido	conduce	no conduzcas	conducirás
conduce	conducía	condujo	ha conducido	conduzca	no conduzca	conducirá
conducimos	conducíamos	condujimos	hemos conducido			conduciremos
conducís	conducíais	condujisteis	habéis conducido	conducid	no conduzcáis	conduciréis
conducen	conducían	condujeron	han conducido	conduzcan	no conduzcan	conducirán
conocer Gerundio: **conociendo** Participio: **conocido**						
conozco	conocía	conocí	he conocido			conoceré
conoces	conocías	conociste	has conocido	conoce	no conozcas	conocerás
conoce	conocía	conoció	ha conocido	conozca	no conozca	conocerá
conocemos	conocíamos	conocimos	hemos conocido			conoceremos
conocéis	conocíais	conocisteis	habéis conocido	conoced	no conozcáis	conoceréis
conocen	conocían	conocieron	han conocido	conozcan	no conozcan	conocerán
contar Gerundio: **contando** Participio: **contado**						
cuento	contaba	conté	he contado			contaré
cuentas	contabas	contaste	has contado	cuenta	no cuentes	contarás
cuenta	contaba	contó	ha contado	cuente	no cuente	contará
contamos	contábamos	contamos	hemos contado			contaremos
contáis	contabais	contasteis	habéis contado	contad	no contéis	contaréis
cuentan	contaban	contaron	han contado	cuenten	no cuenten	contarán
dar Gerundio: **dando** Participio: **dado**						
doy	daba	di	he dado			daré
das	dabas	diste	has dado	da	no des	darás
da	daba	dio	ha dado	dé	no dé	dará
damos	dábamos	dimos	hemos dado			daremos
dais	dabais	disteis	habéis dado	dad	no deis	daréis
dan	daban	dieron	han dado	den	no den	darán
decir Gerundio: **diciendo** Participio: **dicho**						
digo	decía	dije	he dicho			diré
dices	decías	dijiste	has dicho	di	no digas	dirás
dice	decía	dijo	ha dicho	diga	no diga	dirá
decimos	decíamos	dijimos	hemos dicho			diremos
decís	decíais	dijisteis	habéis dicho	decid	no digáis	diréis
dicen	decían	dijeron	han dicho	digan	no digan	dirán
dirigir Gerundio: **dirigiendo** Participio: **dirigido**						
dirijo	dirigía	dirigí	he dirigido			dirigiré
diriges	dirigías	dirigiste	has dirigido	dirige	no dirijas	dirigirás
dirige	dirigía	dirigió	ha dirigido	dirija	no dirija	dirigirá
dirigimos	dirigíamos	dirigimos	hemos dirigido			dirigiremos
dirigís	dirigíais	dirigisteis	habéis dirigido	dirigid	no dirijáis	dirigiréis
dirigen	dirigían	dirigieron	han dirigido	dirijan	no dirijan	dirigirán
distinguir Gerundio: **distinguiendo** Participio: **distinguido**						
distingo	distinguía	distinguí	he distinguido			distinguiré
distingues	distinguías	distinguiste	has distinguido	distingue	no distingas	distinguirás
distingue	distinguía	distinguió	ha distinguido	distinga	no distinga	distinguirá
distinguimos	distinguíamos	distinguimos	hemos distinguido			distinguiremos
distinguís	distinguíais	distinguisteis	habéis distinguido	distinguid	no distingáis	distinguiréis
distinguen	distinguían	distinguieron	han distinguido	distingan	no distingan	distinguirán

PRESENTE	PRETÉRITO IMPERFECTO	PRETÉRITO INDEFINIDO	PRETÉRITO PERFECTO	IMPERATIVO AFIRMATIVO	IMPERATIVO NEGATIVO	FUTURO IMPERFECTO
dormir Gerundio: **durmiendo** Participio: **dormido**						
duermo	dormía	dormí	he dormido			dormiré
duermes	dormías	dormiste	has dormido	duerme	no duermas	dormirás
duerme	dormía	durmió	ha dormido	duerma	no duerma	dormirá
dormimos	dormíamos	dormimos	hemos dormido			dormiremos
dormís	dormíais	dormisteis	habéis dormido	dormid	no durmáis	dormiréis
duermen	dormían	durmieron	han dormido	duerman	no duerman	dormirán
enviar Gerundio: **enviando** Participio: **enviado**						
envío	enviaba	envié	he enviado			enviaré
envías	enviabas	enviaste	has enviado	envía	no envíes	enviarás
envía	enviaba	envió	ha enviado	envíe	no envíe	enviará
enviamos	enviábamos	enviamos	hemos enviado			enviaremos
enviáis	enviabais	enviasteis	habéis enviado	enviad	no enviéis	enviaréis
envían	enviaban	enviaron	han enviado	envíen	no envíen	enviarán
estar Gerundio: **estando** Participio: **estado**						
estoy	estaba	estuve	he estado			estaré
estás	estabas	estuviste	has estado	está	no estés	estarás
está	estaba	estuvo	ha estado	esté	no esté	estará
estamos	estábamos	estuvimos	hemos estado			estaremos
estáis	estabais	estuvisteis	habéis estado	estad	no estéis	estaréis
están	estaban	estuvieron	han estado	estén	no estén	estarán
fregar Gerundio: **fregando** Participio: **fregado**						
friego	fregaba	fregué	he fregado			fregaré
friegas	fregabas	fregaste	has fregado	friega	no friegues	fregarás
friega	fregaba	fregó	ha fregado	friegue	no friegue	fregará
fregamos	fregábamos	fregamos	hemos fregado			fregaremos
fregáis	fregabais	fregasteis	habéis fregado	fregad	no freguéis	fregaréis
friegan	fregaban	fregaron	han fregado	frieguen	no frieguen	fregarán
haber Gerundio: **habiendo** Participio: **habido**						
he	había	hube		he*		habré
has	habías	hubiste				habrás
ha / hay*	había	hubo	ha habido			habrá
hemos	habíamos	hubimos				habremos
habéis	habíais	hubisteis				habréis
han	habían	hubieron				habrán
* impersonal				* única forma en uso		
hacer Gerundio: **haciendo** Participio: **hecho**						
hago	hacía	hice	he hecho			haré
haces	hacías	hiciste	has hecho	haz	no hagas	harás
hace	hacía	hizo	ha hecho	haga	no haga	hará
hacemos	hacíamos	hicimos	hemos hecho			haremos
hacéis	hacíais	hicisteis	habéis hecho	haced	no hagáis	haréis
hacen	hacían	hicieron	han hecho	hagan	no hagan	harán
incluir Gerundio: **incluyendo** Participio: **incluido**						
incluyo	incluía	incluí	he incluido			incluiré
incluyes	incluías	incluiste	has incluido	incluye	no incluyas	incluirás
incluye	incluía	incluyó	ha incluido	incluya	no incluya	incluirá
incluimos	incluíamos	incluimos	hemos incluido			incluiremos
incluís	incluíais	incluisteis	habéis incluido	incluid	no incluyáis	incluiréis
incluyen	incluían	incluyeron	han incluido	incluyan	no incluyan	incluirán
ir Gerundio: **yendo** Participio: **ido**						
voy	iba	fui	he ido			iré
vas	ibas	fuiste	has ido	ve	no vayas	irás
va	iba	fue	ha ido	vaya	no vaya	irá
vamos	íbamos	fuimos	hemos ido			iremos
vais	ibais	fuisteis	habéis ido	id	no vayáis	iréis
van	iban	fueron	han ido	vayan	no vayan	irán

VERBOS

PRESENTE	PRETÉRITO IMPERFECTO	PRETÉRITO INDEFINIDO	PRETÉRITO PERFECTO	IMPERATIVO AFIRMATIVO	IMPERATIVO NEGATIVO	FUTURO IMPERFECTO
jugar Gerundio: **jugando** Participio: **jugado**						
juego	jugaba	jugué	he jugado			jugaré
juegas	jugabas	jugaste	has jugado	juega	no juegues	jugarás
juega	jugaba	jugó	ha jugado	juegue	no juegue	jugará
jugamos	jugábamos	jugamos	hemos jugado			jugaremos
jugáis	jugabais	jugasteis	habéis jugado	jugad	no juguéis	jugaréis
juegan	jugaban	jugaron	han jugado	jueguen	no jueguen	jugarán
leer Gerundio: **leyendo** Participio: **leído**						
leo	leía	leí	he leído			leeré
lees	leías	leíste	has leído	lee	no leas	leerás
lee	leía	leyó	ha leído	lea	no lea	leerá
leemos	leíamos	leímos	hemos leído			leeremos
leéis	leíais	leísteis	habéis leído	leed	no leáis	leeréis
leen	leían	leyeron	han leído	lean	no lean	leerán
llegar Gerundio: **llegando** Participio: **llegado**						
llego	llegaba	llegué	he llegado			llegaré
llegas	llegabas	llegaste	has llegado	llega	no llegues	llegarás
llega	llegaba	llegó	ha llegado	llegue	no llegue	llegará
llegamos	llegábamos	llegamos	hemos llegado			llegaremos
llegáis	llegabais	llegasteis	hebéis llegado	llegad	no lleguéis	llegaréis
llegan	llegaban	llegaron	han llegado	lleguen	no lleguen	llegarán
mover Gerundio: **moviendo** Participio: **movido**						
muevo	movía	moví	he movido			moveré
mueves	movías	moviste	has movido	mueve	no muevas	moverás
mueve	movía	movió	ha movido	mueva	no mueva	moverá
movemos	movíamos	movimos	hemos movido			moveremos
movéis	movíais	movisteis	habéis movido	moved	no mováis	moveréis
mueven	movían	movieron	han movido	muevan	no muevan	moverán
oír Gerundio: **oyendo** Participio: **oído**						
oigo	oía	oí	he oído			oiré
oyes	oías	oíste	has oído	oye	no oigas	oirás
oye	oía	oyó	ha oído	oiga	no oiga	oirá
oímos	oíamos	oímos	hemos oído			oiremos
oís	oíais	oísteis	habéis oído	oíd	no oigáis	oiréis
oyen	oían	oyeron	han oído	oigan	no oigan	oirán
pensar Gerundio: **pensando** Participio: **pensado**						
pienso	pensaba	pensé	he pensado			pensaré
piensas	pensabas	pensaste	has pensado	piensa	no pienses	pensarás
piensa	pensaba	pensó	ha pensado	piense	no piense	pensará
pensamos	pensábamos	pensamos	hemos pensado			pensaremos
pensáis	pensabais	pensasteis	habéis pensado	pensad	no penséis	pensaréis
piensan	pensaban	pensaron	han pensado	piensen	no piensen	pensarán
perder Gerundio: **perdiendo** Participio: **perdido**						
pierdo	perdía	perdí	he perdido			perderé
pierdes	perdías	perdiste	has perdido	pierde	no pierdas	perderás
pierde	perdía	perdió	ha perdido	pierda	no pierda	perderá
perdemos	perdíamos	perdimos	hemos perdido			perderemos
perdéis	perdíais	perdisteis	habéis perdido	perded	no perdáis	perderéis
pierden	perdían	perdieron	han perdido	pierdan	no pierdan	perderán
poder Gerundio: **pudiendo** Participio: **podido**						
puedo	podía	pude	he podido			podré
puedes	podías	pudiste	has podido	puede	no puedas	podrás
puede	podía	pudo	ha podido	pueda	no pueda	podrá
podemos	podíamos	pudimos	hemos podido			podremos
podéis	podíais	pudisteis	habéis podido	poded	no podáis	podréis
pueden	podían	pudieron	han podido	puedan	no puedan	podrán

PRESENTE	PRETÉRITO IMPERFECTO	PRETÉRITO INDEFINIDO	PRETÉRITO PERFECTO	IMPERATIVO AFIRMATIVO	IMPERATIVO NEGATIVO	FUTURO IMPERFECTO
poner Gerundio: **poniendo** Participio: **puesto**						
pongo	ponía	puse	he puesto			pondré
pones	ponías	pusiste	has puesto	pon	no pongas	pondrás
pone	ponía	puso	ha puesto	ponga	no ponga	pondrá
ponemos	poníamos	pusimos	hemos puesto			pondremos
ponéis	poníais	pusisteis	habéis puesto	poned	no pongáis	pondréis
ponen	ponían	pusieron	han puesto	pongan	no pongan	pondrán
querer Gerundio: **queriendo** Participio: **querido**						
quiero	quería	quise	he querido			querré
quieres	querías	quisiste	has querido	quiere	no quieras	querrás
quiere	quería	quiso	ha querido	quiera	no quiera	querrá
queremos	queríamos	quisimos	hemos querido			querremos
queréis	queríais	quisisteis	habéis querido	quered	no queráis	querréis
quieren	querían	quisieron	han querido	quieran	no quieran	querrán
reír Gerundio: **riendo** Participio: **reído**						
río	reía	reí	he reído			reiré
ríes	reías	reíste	has reído	ríe	no rías	reirás
ríe	reía	rió	ha reído	ría	no ría	reirá
reímos	reíamos	reímos	hemos reído			reiremos
reís	reíais	reísteis	habéis reído	reíd	no riáis	reiréis
ríen	reían	rieron	han reído	rían	no rían	reirán
reunir Gerundio: **reuniendo** Participio: **reunido**						
reúno	reunía	reuní	he reunido			reuniré
reúnes	reunías	reuniste	has reunido	reúne	no reúnas	reunirás
reúne	reunía	reunió	ha reunido	reúna	no reúna	reunirá
reunimos	reuníamos	reunimos	hemos reunido			reuniremos
reunís	reuníais	reunisteis	habéis reunido	reunid	no reunáis	reuniréis
reúnen	reunían	reunieron	han reunido	reúnan	no reúnan	reunirán
saber Gerundio: **sabiendo** Participio: **sabido**						
sé	sabía	supe	he sabido			sabré
sabes	sabías	supiste	has sabido	sabe	no sepas	sabrás
sabe	sabía	supo	ha sabido	sepa	no sepa	sabrá
sabemos	sabíamos	supimos	hemos sabido			sabremos
sabéis	sabíais	supisteis	habéis sabido	sabed	no sepáis	sabréis
saben	sabían	supieron	han sabido	sepan	no sepan	sabrán
salir Gerundio: **saliendo** Participio: **salido**						
salgo	salía	salí	he salido			saldré
sales	salías	saliste	has salido	sal	no salgas	saldrás
sale	salía	salió	ha salido	salga	no salga	saldrá
salimos	salíamos	salimos	hemos salido			saldremos
salís	salíais	salisteis	habéis salido	salid	no salgáis	saldréis
salen	salían	salieron	han salido	salgan	no salgan	saldrán
sentir Gerundio: **sintiendo** Participio: **sentido**						
siento	sentía	sentí	he sentido			sentiré
sientes	sentías	sentiste	has sentido	siente	no sientas	sentirás
siente	sentía	sintió	ha sentido	sienta	no sienta	sentirá
sentimos	sentíamos	sentimos	hemos sentido			sentiremos
sentís	sentíais	sentisteis	habéis sentido	sentid	no sintáis	sentiréis
sienten	sentían	sintieron	han sentido	sientan	no sientan	sentirán
ser Gerundio: **siendo** Participio: **sido**						
soy	era	fui	he sido			seré
eres	eras	fuiste	has sido	sé	no seas	serás
es	era	fue	ha sido	sea	no sea	será
somos	éramos	fuimos	hemos sido			seremos
sois	erais	fuisteis	habéis sido	sed	no seáis	seréis
son	eran	fueron	han sido	sean	no sean	serán

PRESENTE	PRETÉRITO IMPERFECTO	PRETÉRITO INDEFINIDO	PRETÉRITO PERFECTO	IMPERATIVO AFIRMATIVO	IMPERATIVO NEGATIVO	FUTURO IMPERFECTO
servir Gerundio: **sirviendo** Participio: **servido**						
sirvo	servía	serví	he servido			serviré
sirves	servías	serviste	has servido	sirve	no sirvas	servirás
sirve	servía	sirvió	ha servido	sirva	no sirva	servirá
servimos	servíamos	servimos	hemos servido			serviremos
servís	servíais	servisteis	habéis servido	servid	no sirváis	serviréis
sirven	servían	sirvieron	han servido	sirvan	no sirvan	servirán
tener Gerundio: **teniendo** Participio: **tenido**						
tengo	tenía	tuve	he tenido			tendré
tienes	tenías	tuviste	has tenido	ten	no tengas	tendrás
tiene	tenía	tuvo	ha tenido	tenga	no tenga	tendrá
tenemos	teníamos	tuvimos	hemos tenido			tendremos
tenéis	teníais	tuvisteis	habéis tenido	tened	no tengáis	tendréis
tienen	tenían	tuvieron	han tenido	tengan	no tengan	tendrán
traer Gerundio: **trayendo** Participio: **traído**						
traigo	traía	traje	he traído			traeré
traes	traías	trajiste	has traído	trae	no traigas	traerás
trae	traía	trajo	ha traído	traiga	no traiga	traerá
traemos	traíamos	trajimos	hemos traído			traeremos
traéis	traíais	trajisteis	habéis traído	traed	no traigáis	traeréis
traen	traían	trajeron	han traído	traigan	no traigan	traerán
utilizar Gerundio: **utilizando** Participio: **utilizado**						
utilizo	utilizaba	utilicé	he utilizado			utilizaré
utilizas	utilizabas	utilizaste	has utilizado	utiliza	no utilices	utilizarás
utiliza	utilizaba	utilizó	ha utilizado	utilice	no utilice	utilizará
utilizamos	utilizábamos	utilizamos	hemos utilizado			utilizaremos
utilizáis	utilizabais	utilizasteis	habéis utilizado	utilizad	no utilicéis	utilizaréis
utilizan	utilizaban	utilizaron	han utilizado	utilicen	no utilicen	utilizarán
valer Gerundio: **valiendo** Participio: **valido**						
valgo	valía	valí	he valido			valdré
vales	valías	valiste	has valido	vale	no valgas	valdrás
vale	valía	valió	ha valido	valga	no valga	valdrá
valemos	valíamos	valimos	hemos valido			valdremos
valéis	valíais	valisteis	habéis valido	valed	no valgáis	valdréis
valen	valían	valieron	han valido	valgan	no valgan	valdrán
vencer Gerundio: **venciendo** Participio: **vencido**						
venzo	vencía	vencí	he vencido			venceré
vences	vencías	venciste	has vencido	vence	no venzas	vencerás
vence	vencía	venció	ha vencido	venza	no venza	vencerá
vencemos	vencíamos	vencimos	hemos vencido			venceremos
vencéis	vencíais	vencisteis	habéis vencido	venced	no venzáis	venceréis
vencen	vencían	vencieron	han vencido	venzan	no venzan	vencerán
venir Gerundio: **viniendo** Participio: **venido**						
vengo	venía	vine	he venido			vendré
vienes	venías	viniste	has venido	ven	no vengas	vendrás
viene	venía	vino	ha venido	venga	no venga	vendrá
venimos	veníamos	vinimos	hemos venido			vendremos
venís	veníais	vinisteis	habéis venido	venid	no vengáis	vendréis
vienen	venían	vinieron	han venido	vengan	no vengan	vendrán
ver Gerundio: **viendo** Participio: **visto**						
veo	veía	vi	he visto			veré
ves	veías	viste	has visto	ve	no veas	verás
ve	veía	vio	ha visto	vea	no vea	verá
vemos	veíamos	vimos	hemos visto			veremos
veis	veíais	visteis	habéis visto	ved	no veáis	veréis
ven	veían	vieron	han visto	vean	no vean	verán

INFORMACIÓN ÚTIL

MAR CANTÁBRICO

FRANCIA

ASTURIAS

La Coruña /
A Coruña

LUGO

A CORUÑA

Lugo

Oviedo

Santander

PAÍS VASCO

VIZCAYA

Bilbao /
Bilbo

San Sebastián / Donostia

CANTABRIA

**Santiago de
Compostela**

GALICIA

Pontevedra

PONTEVEDRA

Orense /
Ourense

OURENSE

LEÓN

León

**Vitoria /
Gasteiz**

ÁLAVA

GUIPÚZCOA

**Pamplona /
Iruña**

ANDORRA

Burgos

NAVARRA

HUESCA

GIRONA

Logroño

BURGOS

LA RIOJA

Huesca

LLEIDA

CATALUÑA

Gerona /
Girona

PALENCIA

Palencia

CASTILLA Y LEÓN

ZAMORA

Soria

Zaragoza

Lérida /
Lleida

BARCELONA

Valladolid

SORIA

ZARAGOZA

Barcelona

Zamora

VALLADOLID

SEGOVIA

ARAGÓN

Tarragona

PORTUGAL

Salamanca

Segovia

GUADALAJARA

TEruEL

TARRAGONA

SALAMANCA

Ávila

Guadalajara

Teruel

Madrid

ÁVILA

CASTELLÓN

MADRID

Cuenca

Castellón /
Castelló

**ISLAS
BALEARES**

Menorca

CÁCERES

CUENCA

**Valencia /
València**

**Palma de
Mallorca**

Mallorca

Cáceres

Toledo

TOLEDO

VALENCIA

CASTILLA-LA MANCHA

Albacete

**COMUNIDAD
VALENCIANA**

Ibiza /
Eivissa

EXTREMADURA

Ciudad Real

ALBACETE

Formentera

Badajoz

Mérida

CIUDAD REAL

ALICANTE

BADAJOZ

CÓRDOBA

JAÉN

Alicante /
Alacant

Córdoba

Murcia

HUELVA

SEVILLA

Jaén

MURCIA

Sevilla

GRANADA

ALMERÍA

ANDALUCÍA

Granada

Almería

MAR MEDITERRÁNEO

Huelva

Cádiz

MÁLAGA

Almería

OCÉANO
ATLÁNTICO

CÁDIZ

Málaga

Ceuta

Melilla

CANARIAS

STA. CRUZ
DE TENERIFE

Lanzarote

La Palma

**Sta. Cruz
de Tenerife**

LAS PALMAS DE
GRAN CANARIA

La Gomera

Gran
Canaria

Fuerteventura

El Hierro

Tenerife

**Las Palmas de
Gran Canaria**

¡BIENVENIDO A ESPAÑA!

Lee esta información útil para tu estancia en España.

Población e idiomas

España cuenta con una población de 47 millones de habitantes. El idioma oficial en toda España es el castellano o español. Son oficiales también, en sus respectivas comunidades autónomas: el catalán y valenciano (Cataluña, Islas Baleares y Comunidad Valenciana), el gallego (Galicia) y el vasco o euskera (País Vasco).

Horarios comerciales

Los comercios suelen abrir de lunes a viernes entre las 9.30 / 10 h hasta las 13:30 / 14 h y de 16:30 / 17 hasta las 20 / 20:30 h. Generalmente cierran los sábados por la tarde y los domingos. En las zonas turísticas y en el centro de las grandes ciudades no suelen cerrar hasta las 22 h y tampoco cierran a mediodía.Los restaurantes sirven comidas normalmente desde las 13:30 hasta las 16 h y cenas desde las 20:30 a las 23:30 h, aunque en los meses de verano suelen ser más flexibles en sus horarios. Los bares y cafeterías abren todo el día. Los bares de copas están abiertos hasta las 3 h de la madrugada. Las discotecas suelen estar abiertas desde medianoche hasta las 5 / 6 h de la mañana

Tasas e impuestos

El IVA (Impuesto sobre el Valor Añadido) grava la mayoría de artículos y servicios. Es normalmente de un 21 % sobre el valor del producto. En el precio de las etiquetas en las tiendas ya está incluido el IVA.

Salud

En caso de urgencias médicas se puede llamar al 061. Sin embargo, este número puede cambiar de una comunidad a otra. Es recomendable viajar con un seguro médico a pesar de que existen acuerdos para asistencia sanitaria gratuita con la mayoría de los países miembros de la Unión Europea. Las farmacias están abiertas de 9:30 a 14 h y de 16:30 a 20 h. Fuera de ese horario funcionan las farmacias de guardia, que están abiertas las 24 horas del día. Todas las farmacias exhiben la lista de las farmacias que están de guardia e indican la más cercana. La lista se publica también en los periódicos e internet.

Policía y asistencia al ciudadano

En la mayoría de las comunidades, el número de emergencia para la Policía Nacional es el 091, y para la policía municipal, el 092. Para cualquier tipo de emergencia existe un número de asistencia al ciudadano: es el 112.

Webs de interés

renfe.com (ferrocarriles)
aena.es (Aeropuertos Españoles y Navegación Aérea)
dgt.es (Dirección General de Tráfico)
correos.es (Correos)
eltiempo.es (información meteorológica)
rae.es (Real Academia Española de la Lengua)

Transporte

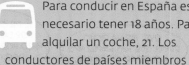

Para conducir en España es necesario tener 18 años. Para alquilar un coche, 21. Los conductores de países miembros de la UE, Suiza, Noruega, Islandia y Liechtenstein solo necesitan llevar el carné de conducir de su país. Los conductores de otros países necesitan un permiso internacional de conducción. Los aeropuertos con un mayor número de vuelos diarios son el de Barajas (en Madrid), el de El Prat (en Barcelona), el de Palma de Mallorca y el de Málaga. Iberia, Vueling y Air Europa son compañías que ofrecen vuelos entre ciudades españolas. Renfe es la compañía nacional de trenes en España. El AVE es el tren de alta velocidad y conecta las principales ciudades (Barcelona, Sevilla y Valencia) con Madrid.

Comunicaciones

Para llamar a España desde otro país, hay que marcar +34 (código de España) y, a continuación, un número de teléfono de 9 cifras. Para hacer llamadas internacionales desde España es necesario marcar 00 y, a continuación, el código del país y el número de teléfono. Para realizar llamadas dentro de España solo hay que marcar el número sin ningún prefijo. Este número siempre tiene 9 cifras, sea un teléfono fijo o un móvil.

EL CÓMIC DE AULA

UNIDAD 1: EL BAR COYOTE

UNIDAD 2: TAL COMO ÉRAMOS

UNIDAD 3: EL GUATEQUE

UNIDAD 4: CORTOCIRCUITO

EL ESPAÑOL QUE NO SE ENSEÑA EN CLASE

Emerson vive en España y estudia español. Fíjate en las situaciones que vive.

UNIDAD 5: LA HISTORIA INTERMINABLE

¿SABES LO QUE ME PASÓ AYER? ESTABA DURMIENDO EN CASA Y, DE REPENTE, OÍ UN RUIDO SUPERFUERTE. ME ASUSTÉ UN MONTÓN PORQUE ESTABA SOLA Y EN TEORÍA NO TENÍA QUE VENIR NADIE... TOTAL, QUE COGÍ UNA ESCOBA Y EMPECÉ A BUSCAR POR LA CASA. PERO RESULTA QUE ERA DANI, QUE QUERÍA DARME UNA SORPRESA. Y CUANDO ME VIO CON LA ESCOBA SE PARTIÓ DE RISA...

UNIDAD 6: CÓDIGO DESCONOCIDO

?

ns **rajamos**. stms muy knsa2

UNIDAD 7: RECURSOS HUMANOS

TENGO UN **MARRÓN** INCREÍBLE CON MI JEFE.

¿SÍ? ¿QUÉ TE PASA?

PUES QUE TENGO UN PROBLEMA CON MI JEFE...

UNIDAD 8: CINEMA PARADISO

ESTA PELI ES UN **BODRIO**, ¿EH?

SÍ, **VAYA PALO**.

BUENO, NO ESTÁ TAN MAL...

Las expresiones en negrita se utilizan mucho en registros coloquiales. Para aprender a usarlas correctamente, comenta con tu profesor en qué contextos son apropiadas.